初めて作る「ヒコーキ模型」

カンタン解説で誰でもできる!

nippper・スケールアヴィエーション編集部／編

大日本絵画

THIS IS THE BEGINNING OF YOUR W

さあヒコーキ模型の世界に飛び込んでみよう！

「飛行機のプラモデルに挑戦してみたいけど、なんだかむずかしくて大変そう……」なんて思っていませんか？　でもこの一冊を読みながら作ると絶対に大丈夫。まずは自分のペースで１機を完成させてみるところから、あなたの素敵なヒコーキ模型ライフを始めちゃおう！

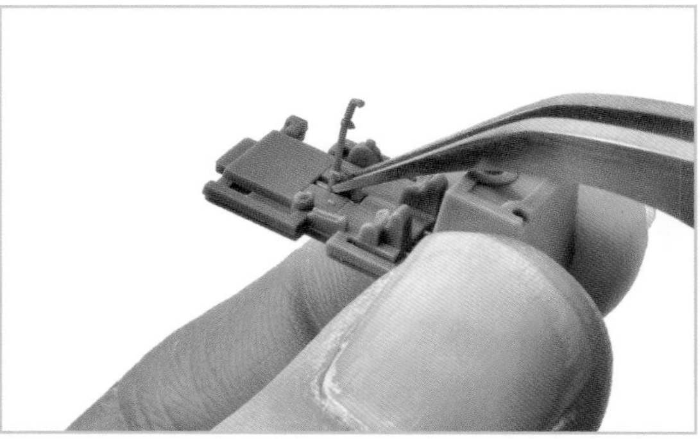

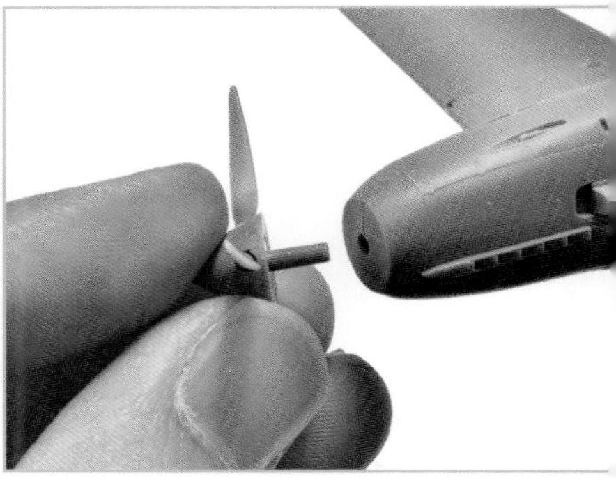

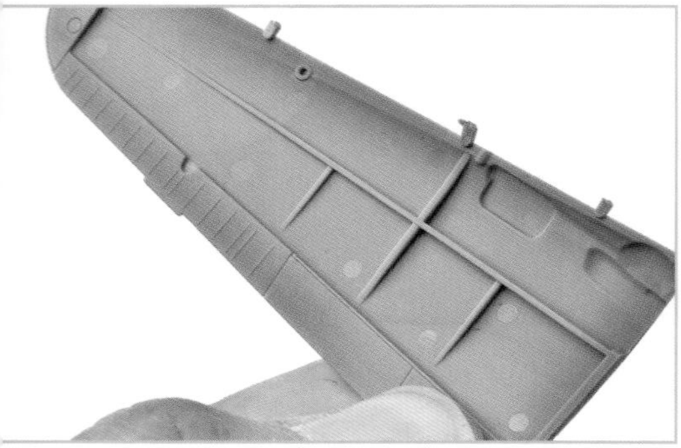

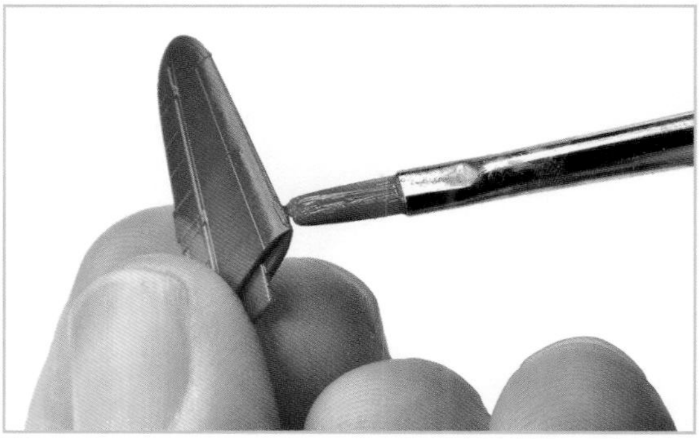

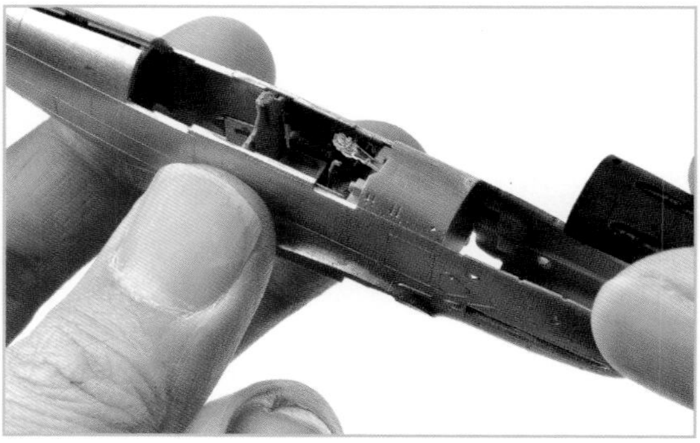

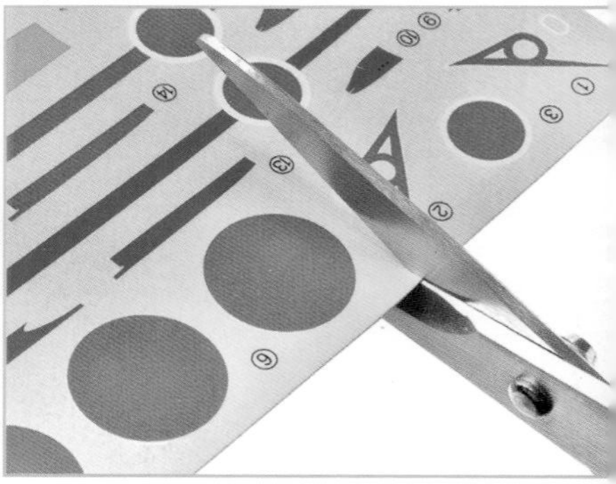

NDERFUL SCALE MODELLING LIFE!!

子供の頃から通っていた模型屋の店員に、いつの間にかなっていた20代の女の子。プラモデルを作らない休日は自転車で走ったり軽登山したりと意外とアクティブな一面も

とあるアクション映画がきっかけでヒコーキ模型に興味を持った大学1年生。プラモデルの知識はゼロだけど、手先は器用な方なので少し自信アリ。趣味はギターと映画鑑賞、犬の散歩

注意!!

読む前にここだけ注意してね!

この本では
初めてのヒコーキ模型を幅広い人に楽しんでもらえるよう
それぞれに合った作り方をオススメしているよ!
特に「組み立てるだけじゃなく
色塗りにも挑戦したい」という方は
ひとつのキットでステップ通りに作れるよう
右ページのガイドを参考に作り進めていってね!

1

飛行機模型をまったく作った事がないのでイチから知りたい

飛行機模型への第一歩！

9 ページへ

2

飛行機模型を作ったことはあるが色を塗った事がないので
色の塗り方を教えて欲しい

めざせベテラン！

59 ページへ

3

飛行機模型をまったく作った事がないけど
初めから色を塗って作ってみたい

組み立て途中で塗装が必要になるよ！

組み立て編の 29 ～ 39、42 ～ 45 ページ

塗装編の 59 ～ 106 ページ

組み立て編の 40 ～ 41、51 ～ 55 ページ

塗装編の 107 ページからデカール編へ

の順番で作ってみてね

CONTENTS

CHAPTER.01
ヒコーキモケイを知ってみよう！

ヒコーキモケイって何ですか？	010
飛行機模型にはたくさん種類があります	012
飛行機模型の大きさ「スケール」を知って、楽しくヒコーキモケイを選んでみよう！	014
ヒコーキモケイってどこで買えるんですか？	016
ヒコーキモケイを買いに行こう!!!	017
ヒコーキモケイを楽しむための道具たち	022
コラム：　100円ショップの工具でも大丈夫？	026

CHAPTER.02
ヒコーキモケイを組み立ててみよう！

漫画：　ヒコーキ模型って難しいですか？	030
まずはヒコーキのカタチに作り上げていくよ！	032
組み立てるときに用意するもの	033
STEP.01　キットを開けて中身を見てみよう！	034
STEP.02　組み立て前にこれだけは覚えておこう	036
STEP.03　ニッパーを使って必要なパーツを切り出す	038
STEP.04　パーツを接着剤でくっつけてみよう	040
コラム：　知ってる？　道具の使い方	042
STEP.05　胴体を切り出そう！	043
STEP.06　胴体パーツを接着してコクピットと合体しよう	046
STEP.07　飛行機のつばさを組み立てていこう！	048
STEP.08　ヒコーキモケイの脚とタイヤを作る	051
STEP.09　残りのパーツを取り付けよう	053
STEP.10　透明なクリアパーツの取り扱いかた	054
タミヤ 1/72 川崎 三式戦闘機 飛燕組み立て完成！	056
コラム：　お次は最新鋭のジェット戦闘機なんていかが？	057

CHAPTER.03
ヒコーキモケイに色を塗ってみよう！

漫画：　組み立てられたら次は塗装だっ！	060
水性塗料の筆塗りで飛燕を塗装してみよう！！	062
筆塗り塗装で準備するもの	063
STEP.01　説明書の塗装指示を見つけよう！！	064
コラム：　塗料を選ぶってどういうこと？	066
STEP.02　筆のウォーミングアップをしよう	068
STEP.03　塗料はしっかりと攪拌して使おう！！	070
STEP.04　コクピットと機体内部の塗装	072
STEP.05　コクピットの塗装にチャレンジ	073
STEP.06　コクピットは大胆に塗装して、筆塗りの感覚を掴もう！	074
STEP.07　塗る色を変えるときは、しっかりと筆を洗おう！	076
STEP.08　黒を塗ろう！	077
STEP.09　胴体の内側の塗装	078

STEP.10 塗料が乾く間に反対側も塗ろう! 080
STEP.11 胴体パネルと機首上面パネルは組み立て前に塗っちゃおう! 082
STEP.12 機首上面パネルは黒で塗る! 083
STEP.13 胴体パネルにある機体内部色を塗るよ!! 085
STEP.14 本体銀塗装にチャレンジ! 086
STEP.15 主翼の塗装……でもどこを持てばいいの!? 088
STEP.16 翼の銀塗装スタート! 089
STEP.17 塗装中の小まめな筆洗いはとっても大切! 090
STEP.18 胴体の銀塗装 095
STEP.19 小物や細部の塗装 098
STEP.20 尾翼の赤を塗ろう! 104
STEP.21 キャノピーの枠の塗装にチャレンジ! 107
STEP.22 飛燕を塗装することができたぞ! 112

CHAPTER.04
ヒコーキモケイにデカールを貼ってみよう!

デカールは魔法! 貼るだけでヒコーキモケイが一変する! 114
デカールを貼るための道具紹介! 116
STEP.01 飛燕のデカールを貼ってみよう 118
STEP.02 説明書のデカール指示を見つけよう 120
STEP.03 初めてのデカール貼りに挑戦だ 121
STEP.04 デカールを台紙からずらしてパーツに貼る 122
STEP.05 デカールの重ね貼りに注意! 124
完成!! タミヤ 1/72 川崎 三式戦闘機 飛燕Ⅰ型丁 126

CHAPTER.05
ヒコーキモケイをもっと楽しむテクニック

ヒコーキモケイがどんどん楽しくなるオススメテクニック!! 130
STEP.01 見た目がアップする!? 合わせ目消しにチャレンジしてみよう! 132
STEP.02 胴体の合わせ目を消してみよう!! 133
STEP.03 主翼の合わせ目消しにチャレンジ! 135
STEP.04 缶スプレーの塗装は気持ちがいいよ! 136
STEP.05 プラモデルのパーツがくっきりするスミ入れを楽しもう! 142
STEP.06 スミ入れがすぐ楽しめる塗料はこのふたつ 143
STEP.07 零戦の翼にスミ入れをしてみよう! 144
STEP.08 タミヤ スミ入れ塗料を使って「ウォッシング」を楽しもう! 146
STEP.09 ウェザリングカラーで文字通り汚してみよう 148
STEP.10 少しの手数でとってもかっこよくなる「ハゲチョロ塗装」を楽しもう! 150
STEP.11 タミヤウェザリングマスターで排気管からのスス汚れを施してみよう! 152
STEP.12 どんな塗装もお手の物! エアブラシで next ステージ行ってみます? 154
STEP.13 あなただけのヒコーキモケイが完成した喜びをスマートフォンに収めよう 158
STEP.14 ちょっと一工夫、クリアカラーの下敷きを敷いてみよう 159

17:18
50%
INTERMISSION
ヒコーキ模型、作ってみたいけど飛行機のこともよく知らないし、箱の中身がどうなってるのかもわからないし……ちょっとコワイ！　うーん、やっぱり初心者にはむずかしいのかな？
大丈夫ですよ～。初心者さんにも作りやすいキットはたくさんあるんです。自分にピッタリのキットを見つけるためにも、まずは飛行機模型のこと、いろいろ説明していきますね～
TO BE CONTINUED
Aa

01

LET'S LEARN ABOUT *Aircraft* MODELS!

第1章 ヒコーキモケイを知ってみよう!

ヒコーキモケイって何ですか？

この本に掲載されている「飛行機模型」。そもそも飛行機の模型（プラモデル）とは一体どんなものなの？
箱を開けると、どんなものが入っているの？　という素朴なギモンをここで解説しちゃおう！

箱を開けると……

箱を開けると、何やら透明の袋にたくさん入っているね。そう、これが飛行機模型の本体なのだ

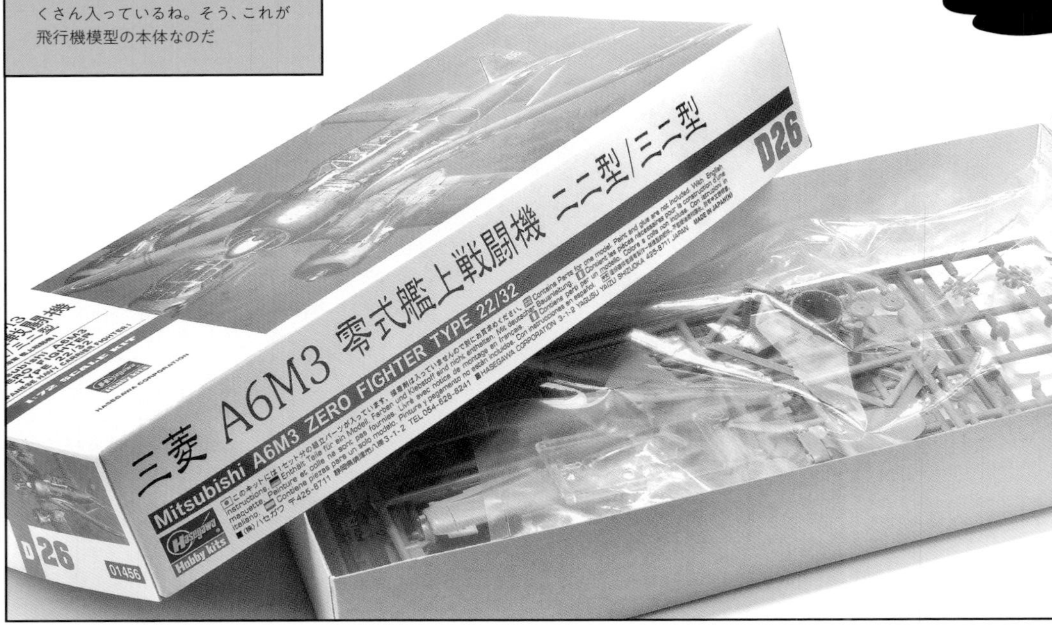

バラバラだ～

枠のようなものに、無数のパーツが繋がっているよ。これらを自分でカットして組み合わせていくことで、かっこいい飛行機になるんだ

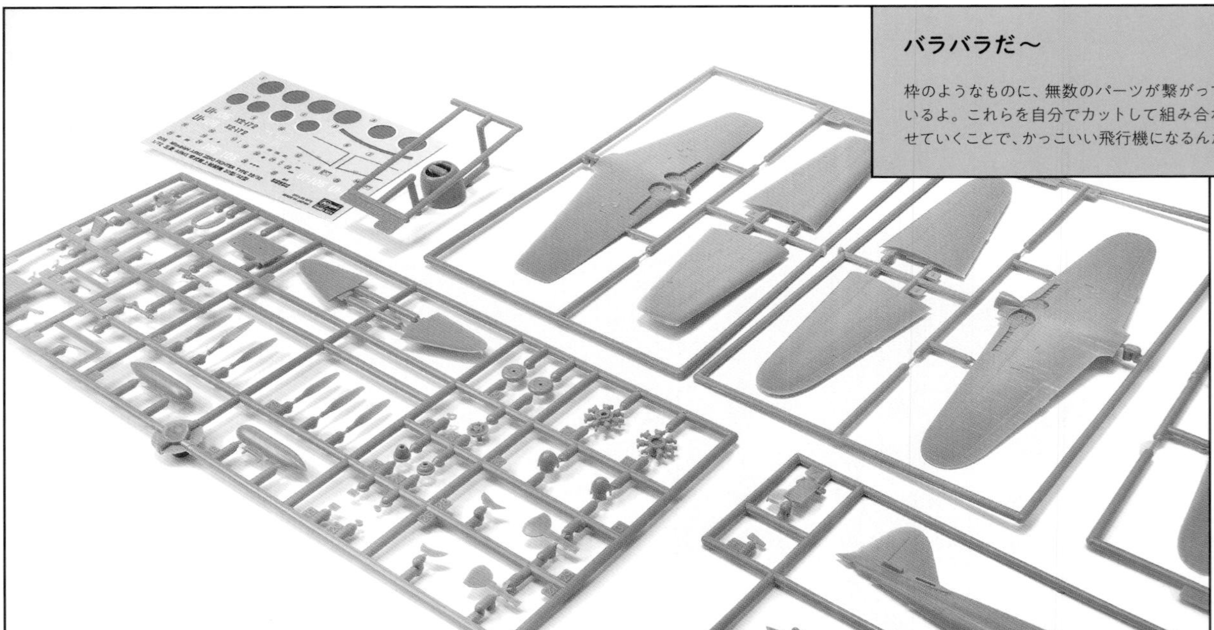

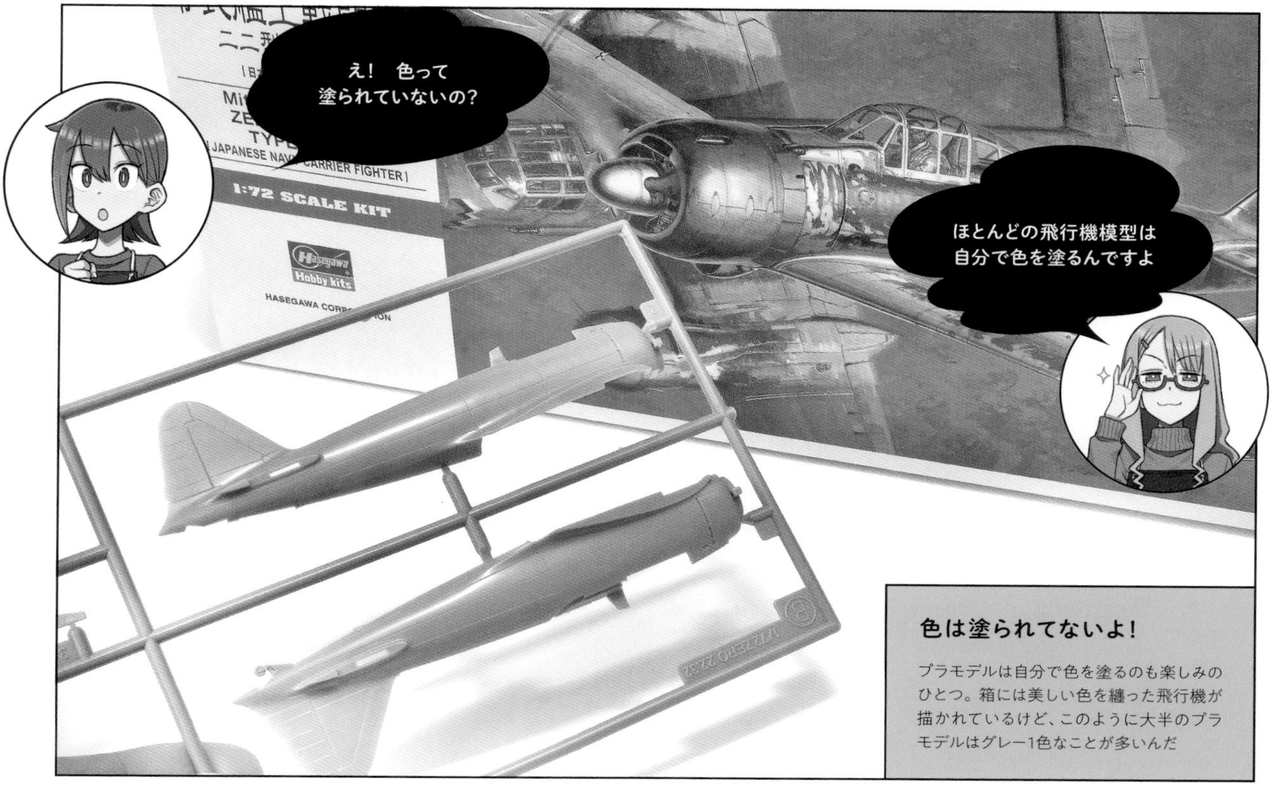

色は塗られてないよ！

プラモデルは自分で色を塗るのも楽しみのひとつ。箱には美しい色を纏った飛行機が描かれているけど、このように大半のプラモデルはグレー1色なことが多いんだ

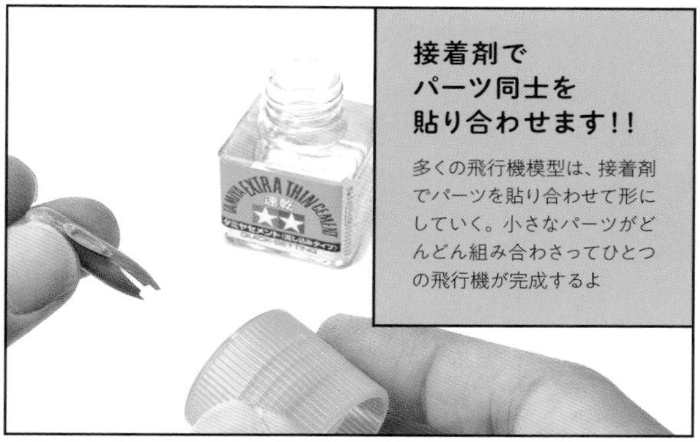

接着剤でパーツ同士を貼り合わせます!!

多くの飛行機模型は、接着剤でパーツを貼り合わせて形にしていく。小さなパーツがどんどん組み合わさってひとつの飛行機が完成するよ

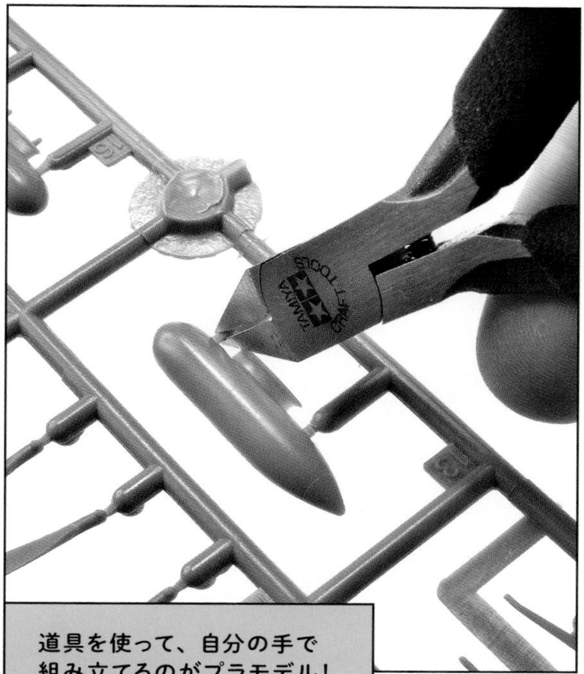

道具を使って、自分の手で組み立てるのがプラモデル！

こうやって部品をひとつずつカットして自分で組み立てていくこと。この楽しさがプラモデルの醍醐味だ

ラジコンとは違うよ！ヒコーキモケイは飾って楽しむもの

ラジコンのようにブンブン飛ばして遊んだりはしないよ。組み立てや、色を塗ったりするのを楽しむんだ。完成したものは棚に飾ったりするのもいいね

さぁ、めくるめくヒコーキモケイワールドへ GO!!! ➔

飛行機模型には
たくさん種類があります

ひと言に飛行機模型と言っても様々な種類があるぞ。それだけとっても
豊かな世界が広がっているってこと。飛行機模型にはどんな種類があるのかな？

飛行機模型の主軸！
レシプロ機

飛行機模型のなかの一大勢力が「第二次世界大戦」頃に活躍した飛行機たち。日本人にとっては一番馴染みのある「ゼロ戦」もこの種類に入ってる。プロペラが付いている、ジェット機が登場する前の飛行機だ。メッサーシュミット Bf109 やスピットファイア、P-51 マスタングなど歴史を代表する名機が揃っているぞ

飛行機の歴史を彩った世界中の名機を手にできる！

世界各国の名機のほとんどがプラモデルになっている。日本を代表する戦闘機・ゼロ戦は、世界中のヒコーキ模型好きからも愛されているんだ

三菱 A6M5c 零式艦上戦闘機 52 型丙（1/32　税込 5500 円）
●ハセガワ　(問)ハセガワ

戦闘機だけじゃないよ

飛行艇としては、当時世界最高の性能を誇った傑作機「川西 H8K 二式飛行艇」。通称「二式大艇」として愛される飛行機。このように戦闘機だけではなく飛行艇や爆撃機など色んなレシプロ機がプラモデルになっているぞ

川西 H8K2 二式大型飛行艇 一二型（1/72　税込 8800 円）
●ハセガワ　(問)ハセガワ

第一次世界大戦で
登場した複葉戦闘機

第一次世界大戦に登場した飛行機たちのプラモデル。おもに海外のプラモデルメーカーが発売している。この時代はほとんど主翼が２枚の"複葉機"。細かい部品や、紐なども使う場合が多いのでちょっと難易度は高めだよ

まるで空を舞う芸術品

第一次世界大戦で初めて飛行機が戦争に使われたんだけど、まだ全体に金属が使われておらず、木や布も大量に使われている。見た目にも美しいデザインや、派手なカラーリングが多いのも特徴だ

ソッピース・パップ RNAS
（1/32　税込１万 670 円）
●ウィングナットウィングス
(問)店頭在庫のみ

退役したものから最新鋭機まで楽しめるよ

実機もプラモデルも世界中で愛されるジェット戦闘機の代表「F-4ファントムII」。ジェット機のプラモデルの多くは、完成するとレシプロ機よりも大きく存在感は抜群だ！

レシプロ機に並ぶ豊かな世界がジェット機だ

第二次世界大戦末期から現在に至るまでの飛行機の歴史を紡いでいるのがジェット機。登場してから退役（運用が終わったもの）したもの、現在進行形でバンバン使用されている飛行機などがラインナップされてるぞ。最新鋭のステルス機も続々と発売されていて、テレビで見たことがあるようなジェット機も多数キット化されているんだ

マクダネル・ダグラス F-4B ファントム II
（1/48　税込 8360 円）
●タミヤ　問タミヤ・カスタマーサポート

F-35A ライトニング II
（1/72　税込 2860 円）
●ハセガワ　問ハセガワ

飛行機の「今」を手に取ることができます

こちらはF-35 ライトニングII。最新鋭のステルス機として自衛隊にも配備されている。現在進行形の空の歴史を楽しめるのも、ジェット機プラモデルの魅力なんだ

静岡県消防防災航空隊が使用する防災ヘリ「オレンジアロー」。ヘリコプターのプラモデルにはドクターヘリなど、人の生活をサポートしてくる物も多数発売されている

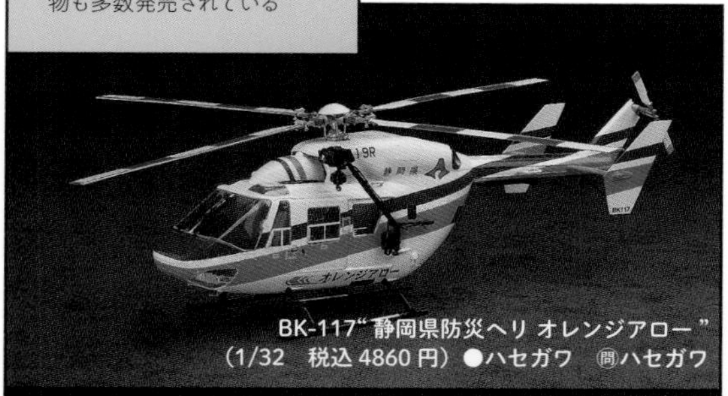

BK-117“静岡県防災ヘリ オレンジアロー”
（1/32　税込 4860 円）●ハセガワ　問ハセガワ

SH-60J シーホーク（海上自衛隊）
（1/72　税込 1320 円）
●ハセガワ　問ハセガワ

ヘリコプターも忘れちゃいけません！

軍用、民間用とヘリコプターのプラモデルもたくさんあるよ。翼とは異なるローター（回転翼）の迫力、独特の形状など同じ飛行機模型でも一味違った楽しみ方ができるのが特徴だ

みんなのワクワクを乗せて飛ぶ「旅客機」

国内や海外へ行く時に乗る旅客機は一番身近な飛行機。航空会社ごとに異なるカラーが施された商品が発売されてる。空港に行けばじっくりと実物を見られるのも、旅客機プラモデルの楽しみだね

ANA ボーイング 787-8（1/200　税込 2640 円）
●ハセガワ　問ハセガワ

日本航空 ボーイング 787-8（1/200　税込 2640 円）
●ハセガワ　問ハセガワ

飛行機模型の大きさ「スケール」を知って、楽しくヒコーキモケイを選んでみよう！

同じ飛行機でも、様々な大きさで発売されている飛行機模型。多くのプラモデルは「スケール」という言葉を使って大きさの程度を表しているんだ。1/72（ななじゅうにぶんのいち）、1/48（よんじゅうはちぶんのいち）、1/32（さんじゅうにぶんのいち）と3つのスケールが飛行機模型では主流。これは「実際の飛行機の大きさを72、48、32で割った時のサイズ」を意味しているよ。なので、同じ飛行機のプラモデルでも大きさが違うものを楽しめるんだね

箱の目立つ場所に「1/72（または1:72という表記もある）」「1/48」「1/32」と書かれているぞ

スケールごとに模型の特徴も変わってくるんだ

大きさによって、プラモデルの精密さや部品数なども変化して、それぞれに特徴が出てくる。各スケールの特徴を簡単にまとめてみたぞ

1/72

小さめサイズで、おおよそ12cm～20cmくらい。手のひらサイズのものが多く、パーツ数も少なめ。完成しても場所を取らないから、たくさん並べてコレクションするにも最適だ

1/48

20cm～30cmくらい。棚などに飾っておくにはちょうど良い大きさ。1/72スケールよりも精巧なプラモデルが多く作り応えもあります。ジェット機になると1/48スケールでもかなりの大きさになるよ

1/32

30cm以上のものが多く、完成すると大きい。各メーカーが超本気で開発したプラモデルキットが多く、組み立てるだけで存在感抜群の迫力に仕上がる

さくっとこの飛行機作りたいな～って時は1/72をチョイス！　ある程度存在感があって適度な大きさの模型を作りたいとなれば1/48を。デカくてすごいのを作ってみたい！　って時は1/32を手にしてみる……そんな感じでサイズとスケールのことが分かってくると、今あなたが楽しみたい飛行機模型を選ぶことができるようになるはず！

ヒコーキモケイって どこで買えるんですか？

実際に飛行機模型を作ってみたいとなったら
どこで買えばいいんだろ？
現在主流の3パターンをご紹介しちゃおう

SHOPPING SITE 一番お手軽！ インターネットのショッピングサイト!!!

「飛行機 プラモデル」で検索すると沢山出てくるよ!!!

パソコンやスマートフォンからすぐに飛行機模型は購入できる。大手通販サイトはたくさんの種類の模型をそろえているので、気になった飛行機キットをお手軽に買うことができるぞ

ELECTRICSTORE 家電量販店のホビーコーナー

大充実の品揃え

ホビーにとっても力を入れている店舗が多いヨドバシカメラなど、家電量販店に行くと全ジャンルのプラモデル、流行りの工具やマテリアル模型関連書籍が何でも揃うぞ

協力／ヨドバシカメラ マルチメディア Akiba店

HOBBY SHOP 一番ワクワクする場所、それが模型店

専門知識も豊富!! とにかく楽しい模型店

ヒコーキ模型などのプラモデルを専門に扱うお店が模型店（ホビーショップ）。専門的知識を持った店主やスタッフが多いので、模型製作のアドバイスが聞けたりする。お店ごとの特色もあるので、自分が好きなジャンルに力を入れている模型店を探すのも楽しいね

ヒコーキモケイを買いに行こう!!!

イエローサブマリン 秋葉原スケールショップ

入口のドアからも見える新商品の山！　世界中の模型からイエローサブマリンスタッフオススメの新商品がこの場所に陳列されるんだ

ヒコーキ模型を作る前の一番最初のステップがプラモデルキットの購入。どんなヒコーキ模型があるのか、初心者にオススメなキットはどれなのか……そんな不安を抱える方も、模型店に行けばワクワクすること間違いなし！　さっそく一緒に模型店のなかの様子をのぞいてみよう！

イエローサブマリン
秋葉原スケールショップ
住所／〒101-0021　東京都千代田区外神田1-11-5 秋葉原スーパービル6F
営業時間／月～金　12:00～20:00
土曜日　10:00～20:00
日・祝　11:00～19:00
定休日／年中無休
Twitter／@YS_SCALESHOP

APACHE
JT23
CORSAIR
TAMIYA
P-51D MUSTANG
1:48
JT80
JT97
1:72
HARRIER II PLUS
PLATZ
HMK-1:3880
FineMolds
ファインモールド
Fine Molds Corporation

どれにしようかな……

ヒコーキモケイを買いに行こう!!!

迎えてくれたのがイエローサブマリン 秋葉原スケールショップの店長・託摩さん。託摩さんもとっても模型が上手で知識が豊富。困ったことがあれば、すごく優しく教えてくれますよ!

棚いっぱいの飛行機模型!!!

イエローサブマリンの陳列は各模型メーカーごとに丁寧に分けられているのでとっても見やすい。こうやって色々なメーカーが発売している飛行機模型を一気に見ることができることこそ、模型店でのお買い物の楽しさなのだ

どれを買って良いかわからない場合はお店の店員さんに迷わず聞いてみよう。イエローサブマリンの詫間さんは「まずは1/72スケールのレシプロ戦闘機が良い」とオススメしてくれたよ。このキットだと完成しても両手に収まる大きさで、初心者にはちょうど良いくらいのサイズ感なんだって！　もちろん「大きい機体が良い、このヒコーキを作ってみたい！」っていうリクエストがある方は店員さんに伝えて、自分に合ったキットを選んでもらおうね！

どれを選んで良いか迷ったときには
店員さんに聞いてみよう

筆だけでこんなにいっぱい種類が……！　接着剤も同じようなものがたくさんあって、どれを選べばいいかちょっと不安。けれど、そういう時は模型店の店員さんに聞いてみるとオススメの商品を丁寧に紹介してくれるから大丈夫。プラモデルの初心者に合わせた使い方のコツも教えてくれたり、とにかく迷った時は「すみませーん！」って声をかけてみよう！

飛行機模型を作る道具も
模型店に売ってます

ヒコーキ模型を作る道具たちは次のページで紹介していくけれど、「とにかく最低限必要なものだけで始めたい！」という人はニッパーと接着剤をゲットしよう！　最初に全部じゃなくて、徐々に道具を集めていってもオッケーだよ！

一度揃えれば、
どんなプラモデルも楽しく
なること間違いなし!!

ヒコーキモケイを楽しむための道具たち

プラモデルを作るためには「工具」(模型を作る道具のこと)が必要。ニッパーやデザインナイフ、ピンセット、接着剤……いろんな工具を使いながら飛行機模型は完成するんだけど、模型店にはすごい数の工具が販売されてて、初めて行くと正直何を買っていいのか分からなくなっちゃう……。そこで「まずはこんな工具たちをショッピングカートに入れてみるといいよ」というものを集めてみたよ

TOOLS 01 ● ニッパー

プラモデル工具の王様「ニッパー」

枠からパーツ(部品のこと)を切り離す。この工程を何度も繰り返すのがプラモデル製作の基本。また、飛行機模型のパーツはとっても精密。それゆえに、プラモデル専用のニッパーを使おう。プラモデル専用のニッパーは100円ショップなどで売っているニッパーとは段違いの性能。ピシッと切ることができると、さらにプラモデル作りが楽しくなるぞ

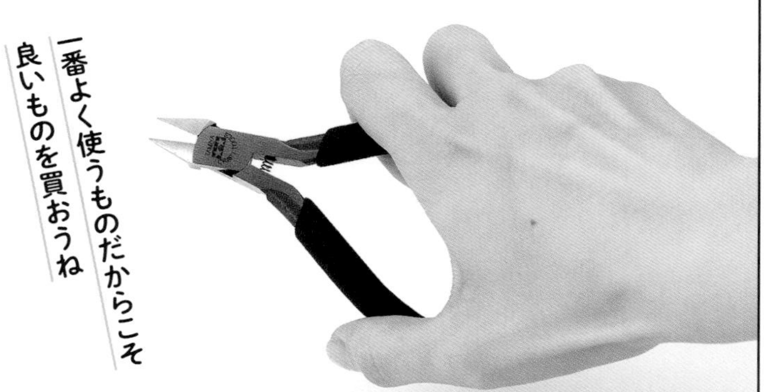

先細薄刃ニッパー(ゲートカット用)(税込3190円)
●タミヤ (問)タミヤ・カスタマーサービス

オススメはタミヤの先細薄刃ニッパー(ゲートカット用)。こちらは刃の先端がとても細く、ヒコーキモケイの小さなパーツのカットにも難なく対応してくれるよ! またほとんどの模型店で購入できるので、使い続けてダメになったら、すぐ買い直せるのも魅力的

TOOLS 02 ● 接着剤

飛行機模型は接着剤が必要

プラモデル用接着剤のスタンダードなのが、フタの裏についてあるハケ。このおかげで狙ったところに接着剤を的確に塗ることができるんだ。詳しい使い方は第2章の組み立て編を参照してね

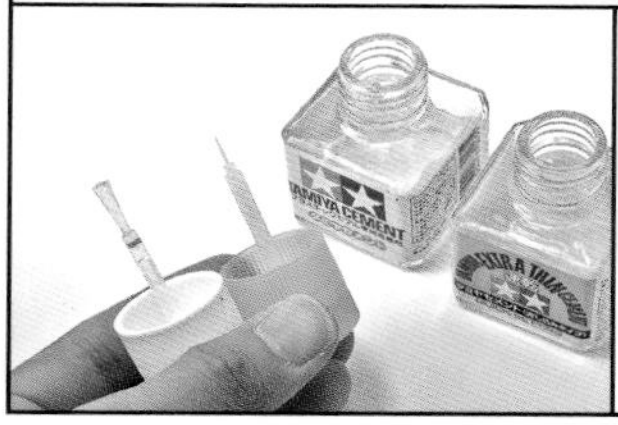

飛行機模型の多くは「接着剤」を使用して組み立てていく。接着剤と聞いただけで「難しそう」と思ってしまったそこのあなた！　もうそんな時代は終わり、今は接着剤がとても使いやすくなっているので、簡単にキレイにパーツを接着することができるんだ。その代表的な接着剤をふたつ紹介するよ

タミヤセメント　(税込 220 円)
●タミヤ
㊞タミヤ・カスタマーサービス

「白フタ」の愛称で親しまれる定番の接着剤。粘度が高くてトロトロしているのが特徴だよ。フタの裏のハケでパーツにペタペタと接着剤を塗って使用するよ

タミヤセメント
(流し込みタイプ) 速乾
(税込 374 円) ●タミヤ
㊞タミヤ・カスタマーサービス

パーツとパーツを合わせた隙間に流し込んで使用するタイプ。接着剤のはみ出しが少なく接着面がきれいに仕上がるよ

TOOLS 03 ● デザインナイフ

ヒコーキモケイの「切る」を支える超重要工具

モデラーズナイフ (税込 1045 円)
●タミヤ
㊞タミヤ・カスタマーサービス

デザインナイフはお手軽に刃を交換できるので、常に切れ味を保つことができる。さらに、カチカチと言う通常のカッターよりも非常に取り回しやすいので、プラモデル製作との相性が抜群なんだ

TOOLS 04 ピンセット

あなたの第２の指になる！

小さなパーツを組み立てていく際に、指で持つととっても持ちにくい……そんな時とっても役に立つのが「ピンセット」。模型用のピンセットは先端がとっても細くて、精度も高く仕上げられているんだ

ヒコーキモケイの小さなパーツも怖くない！

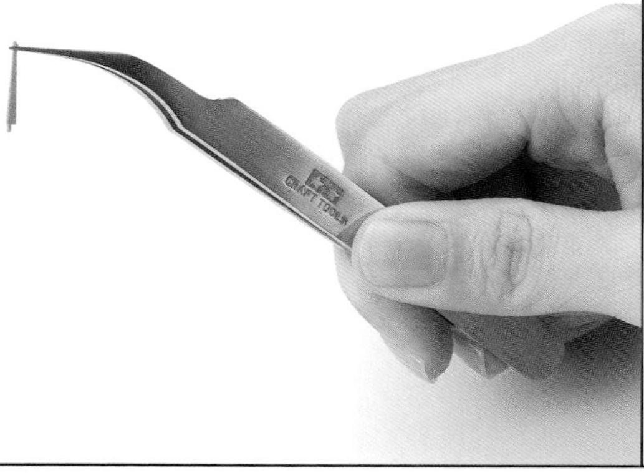

精密ピンセット ツル首タイプ
（税込 1540 円）
●タミヤ　㊐タミヤ・カスタマーサービス

オススメはこちらのピンセット。ピタッと先端が閉じるので、パーツをがたつかせることなく保持できる

TOOLS 05 ピンバイス

穴を開ける工作の必需品

ピンバイスと呼ばれるドリル。飛行機模型では時にパーツを取り付けるのに穴を開けることがある。そんな時この工具を持っていれば心配ナシ！

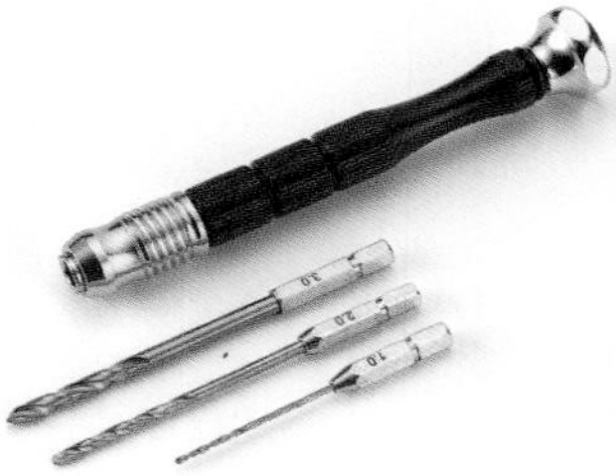

ワンタッチピンバイスセット
（税込 1980 円）
●ウェーブ　㊐ウェーブ

ピンバイスの特徴は、グリップ本体に様々な径のドリルを取り付けられること。このピンバイスは刃の交換がワンタッチで行なうことができて、とても快適なのだ

TOOLS 06 紙ヤスリ

削ったり整えたりと大活躍！

パーツをカットした時に汚くなってしまった時や、パーツ同士の合わせが悪い時などに大活躍するのが紙ヤスリ

フィニッシングペーパー P400、P600
（税込各 132 円）
●タミヤ　㊐タミヤ・カスタマーサービス

紙ヤスリには番手と言う番号があって、400や600と言う数字がそれ。数字が小さいほどガリガリと粗く削ることができて、数字が大きいほど仕上げのような細かい磨きができる。飛行機模型では400番や600番などが良く使われるよ

TOOLS	07	筆塗り塗装

筆塗り塗装を楽しくサポートしてくれる道具たち

本書では筆塗りの塗装をメインに紹介、そこで主に使用する道具がこちら。これらを揃えれば、筆塗りを充分に楽しめるはず。詳しい使い方は第3章（59ページ）で紹介してるぞ

モデリングブラシHF スタンダードセット
（税込770円）
●タミヤ　問タミヤ・カスタマーサービス

使い勝手に優れた3本をセットにした筆。本書でもこちらを使用して塗っていくよ。平筆No.2は幅約6mm、平筆No.0は幅約4mm。さらに細部を塗ることができる極細面相筆がセットされるよ。価格もお手頃だから、ガシガシ使っても気軽に買い換えられるね

水性ホビーカラー
（税込各198円）
● GSIクレオス　問GSIクレオス

低臭でリビングでも塗装可能な水性ホビーカラー。近年完全リニューアルされてとっても使いやすくなっていて、瓶の状態で最初から筆塗りに適した濃度になっているんだ。全国の模型量販店で取り扱いがあるのもうれしい

Mr.塗料皿
（税込176円）
● GSIクレオス　問GSIクレオス

塗料を薄めたり、混色するときに使う金属製の塗料皿。10枚入り

水性ホビーカラー うすめ液（特大）
（税込660円）
● GSIクレオス　問GSIクレオス

水性ホビーカラーを滑らかに希釈したり、汚れた筆を洗うのに使用する。筆塗りをスタートすると使用する頻度が増えるので特大を買っておくのがオススメだ！

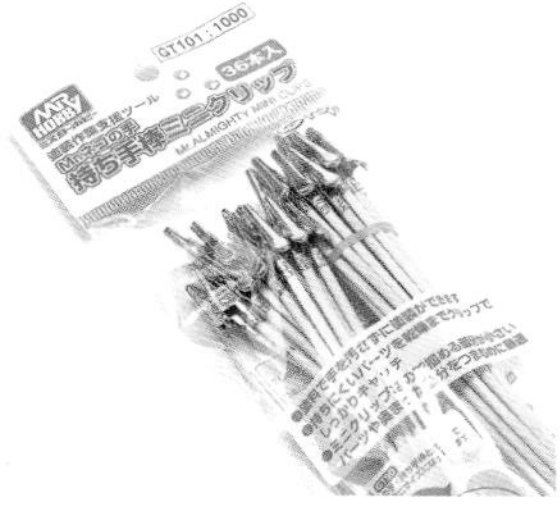

Mr.ネコの手・持ち手棒ミニクリップ<36本入り>
（税込1100円）
● GSIクレオス　問GSIクレオス

より安全に、かつ塗装しやすくパーツを固定するための道具。手で持って塗れないパーツなどに重宝する。割りばしやツマヨウジにテープを巻いたものでも代用できるので、お好みでどうぞ

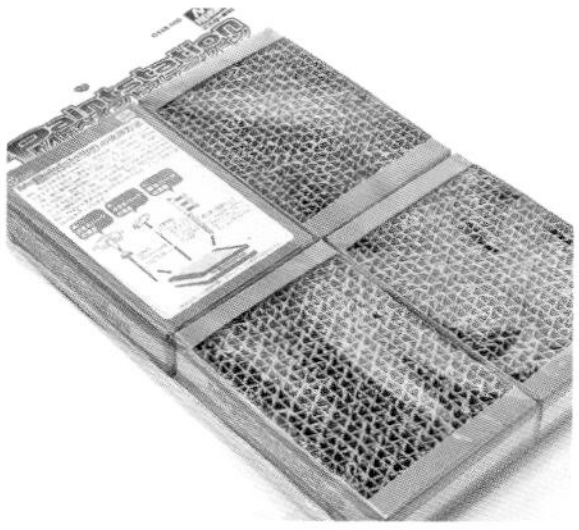

Mr.ペイントステーション
（税込660円）
● GSIクレオス　問GSIクレオス

ツマヨウジや割り箸、持ち手棒を保持するためのベース。塗装後ここに挿すことで、パーツを安全に乾燥させることができるんだ

ちょっとまって!!!

工具なら100円ショップでも買えるじゃん！　っていうそこのアナタ。ちょっとお待ち下さいな。厳密に言えば作れないことも無いのだけど……模型専用のものを使ったほうが断然に楽になるぞ（断言!）。使いやすさに天と地の差があるだけじゃなく、余計な失敗をしないためにも工具だけは模型専用のモノを買った方が良いのでまずは比較を見て！

100円ショップの工具ってどんな感じかな～？

100円ショップニッパーとプラモデル用ニッパーの刃を比較してみると……

100円ショップのニッパーしか使ったことが無いのなら「こんなものか」と思ってしまうかもしれないけど、プラモデル用ニッパーは各メーカーが本気で様々なプラモデルと相対した結果完成したもの。刃の形状、薄さ、持ちやすさ、すべてがプラモデルに特化しているんだ。プラモデル用ニッパーは製作精度製作スピードの両方が確実に上がる工具なのだ！

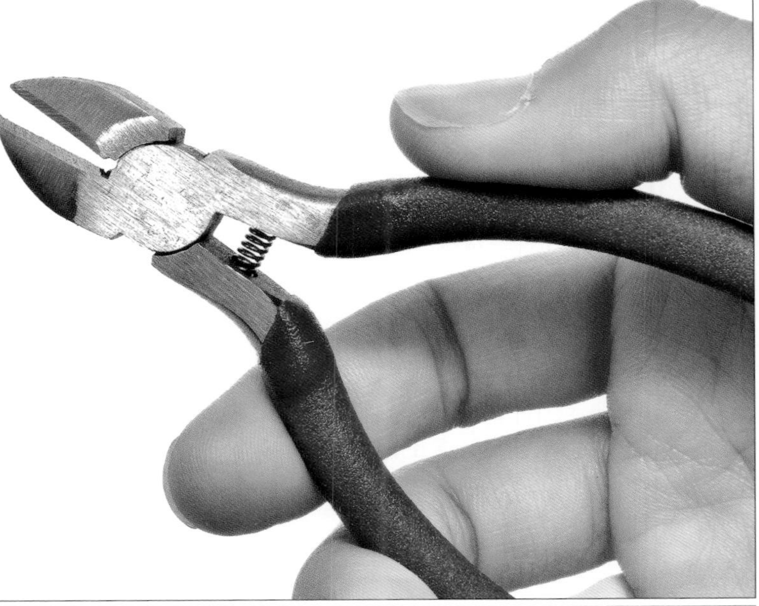

100円ショップニッパー

厚くて大きな刃。とっても刃が分厚くて、細い金属線も切れそう……

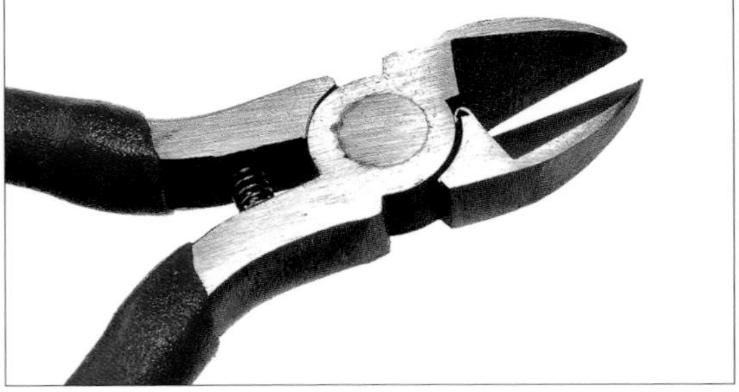

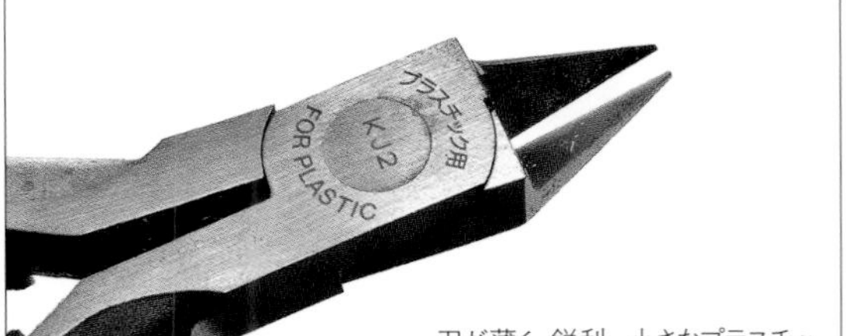

刃が薄く、鋭利。小さなプラスチックのパーツもこれなら怖くないね

タミヤ 薄刃ニッパー

ニッパーやピンセットなど、100円ショップにも工具が売っていて、「プラモデル製作にも」と商品には書かれたりしてる。それらは模型用の物より格安の値段で購入できて、一瞬「こっちで良くない?」ってなる人もいるんじゃないかな。でも、金属加工されて生まれた工具は本当に値段で精度の差がきっちり出ちゃう。これから長く飛行機模型を楽しむのなら、ぜひ模型用の工具を買って欲しい。その代わり、紙ヤスリなどの消耗品は100円ショップのものでも気軽に使えるのでオススメだ

100円ショップニッパー

パーツと枠の間にニッパーの刃が入って行きにくい……刃の厚さで視界も悪くなるので、カットしにくいのだ

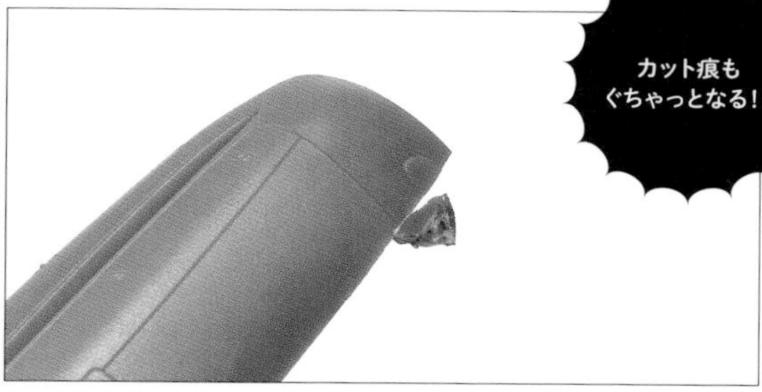

スパッと切るのではなく、押しつぶしてカットする感じ。なので、カット痕はこのように大きく変形する

タミヤ 薄刃ニッパー

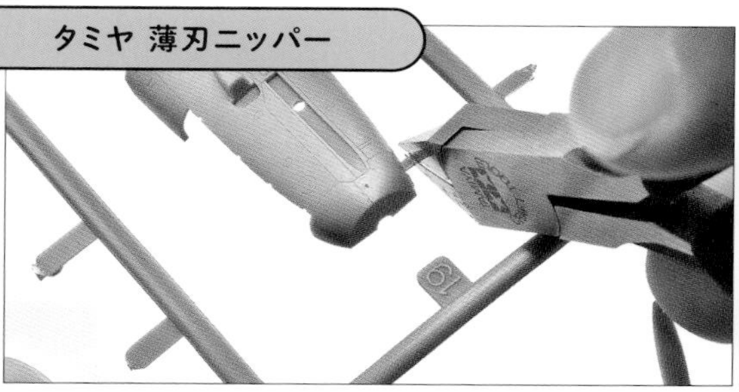

プラモデル用の薄刃ニッパーは先が細くてスリムだから、パーツとランナーとの間の狭いスキマでも問題なし!

よく切れる包丁ですっと切った感じ。とてもきれいにカットできるよ

ピンセットも模型用にしよう!!

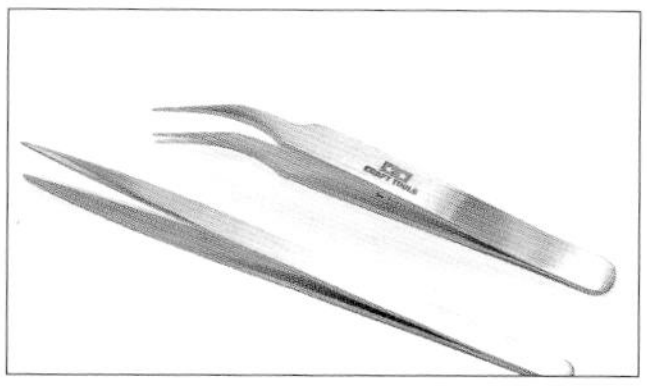

◀手前が100円ショップのピンセット、奥が模型用。使った感じバネの反動が100円ショップの物は少々硬く、長時間使うと疲れるよ

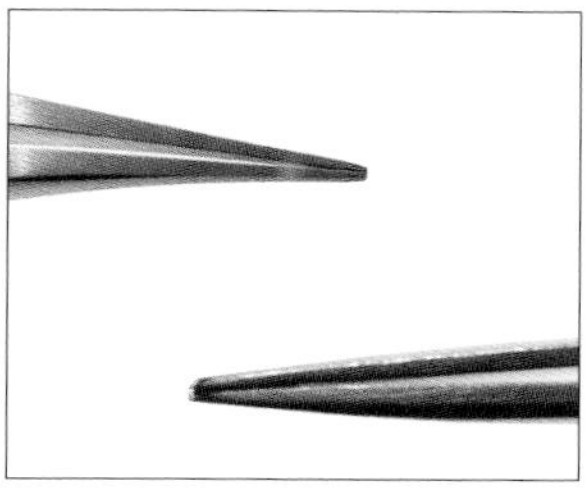

◀ピンセットの先端の繊細さは一目瞭然。左がプラモデル用。右が100円ショップ。100円ショップの物で小さなパーツを掴んでみたら、落としたり飛ばしたりしてしまったよ……。飛行機模型のような小さなパーツを接着するプラモデルには不向きだね

紙ヤスリ

100円ショップの紙ヤスリ

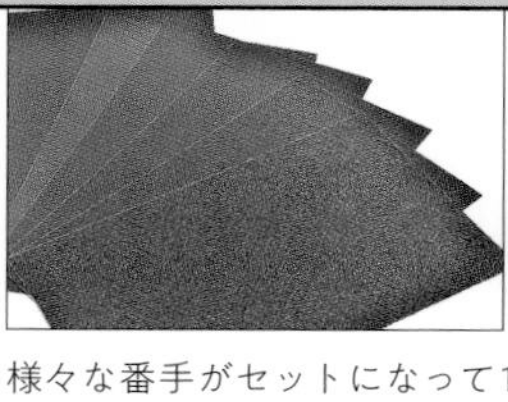

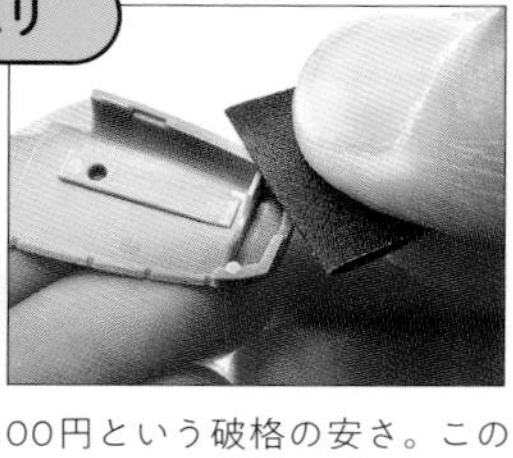

様々な番手がセットになって100円という破格の安さ。このような消耗品はどんどん使ってOK! 近くに模型店や文具店が無い人こそ、積極的に100円ショップを活用しよう

模型用紙ヤスリ

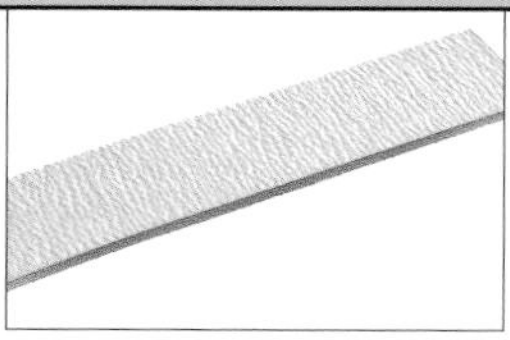

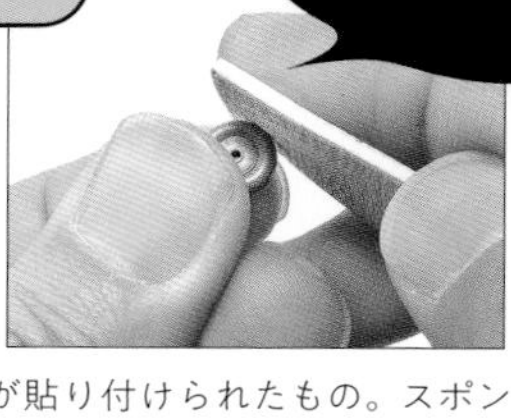

柔らかなスポンジに紙ヤスリが貼り付けられたもの。スポンジのおかげで曲面に馴染むので、タイヤなど丸いパーツにヤスリをかけるときに便利

●●●○○
17:18
50%
INTERMISSION
飛行機の種類に、模型のスケールに、必要な道具に……。覚えることはたくさんあるけど、ヒコーキ模型のことはなんとなくわかってきた気がします！まだ何も作ってないケド……
模型屋さん、とっても楽しいので是非お越しください～。では次はいよいよ箱を開けて、模型作りにチャレンジ。じっくり選んだキットを組み立てて、カッコいい飛行機を作ってみましょう！
TO BE CONTINUED
Aa

02

LET'S ASSEMBLE AN *Aircraft* MODEL!

第2章
ヒコーキモケイを組み立ててみよう!

それでは早速ヒコーキ模型を作ってみよう!

ヒコーキ模型って難しいですか？
うーん……
たくさんあって
なにがなにやら……
ヒコーキ模型って
むずかしいのかな……
映画観てたら飛行機の模型
作ってみたくなって、
模型店に来たはいいケド……
正直なにも
わかんないや……
はやまったかな……
なにか
お困りですか—？
店員さん！
なにか作りたい機体とか
あるカンジですか～？
あっいや……
なんかホントに漠然と
飛行機が作ってみたく
なったんですけど……
もどしっ
どこから手をつけて
いいかわからなくて
本とかもムズかしそうで……
私にはちょっと
無理だったのかな～って
アハハ
ん～～
そんなこと
ないですよぉ～
えっ

まずはヒコーキのカタチに作り上げていくよ！

色を塗らないで、組み立てるだけでも飛行機模型はとってもかっこいい。そして一度飛行機模型を全て組んでみるとどんなプラモデルなのかもしっかりと知ることができる。第1章で紹介した工具を手にして、まずはタミヤ 1/72飛燕を形にしてみよう！

ウォーバードコレクション No.89
川崎 三式戦闘機 飛燕 I 型丁
（1/72　税込 1760 円）
●タミヤ　(問)タミヤ・カスタマーサービス

CHAPTER **02** ヒコーキモケイを組み立ててみよう!

TOOLS 組み立てるときに用意するもの

組み立てには特別な道具はいらないよ！　下の6種類の道具があれば大丈夫。
パーツの切り方、接着剤の使い方、ピンバイスでの穴あけなど、順を追って見ていこう

ニッパー

デザインナイフ

接着剤

紙ヤスリ

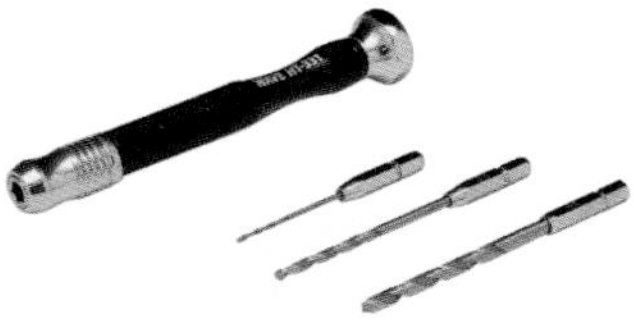

ピンバイス

ピンセット

STEP.01

キットを開けて中身を見てみよう!

飛燕のプラモデルを開けてみよう！　箱のなかには、いったいどのようなものが入っているんだろう？

大きな枠に様々なパーツが繋がっている。これがプラモデルの最初の姿。パーツが繋がったプラスチックの枠を「ランナー」って呼ぶんだ。プラモデルによって入っている枚数は異なるぞ

パーツ

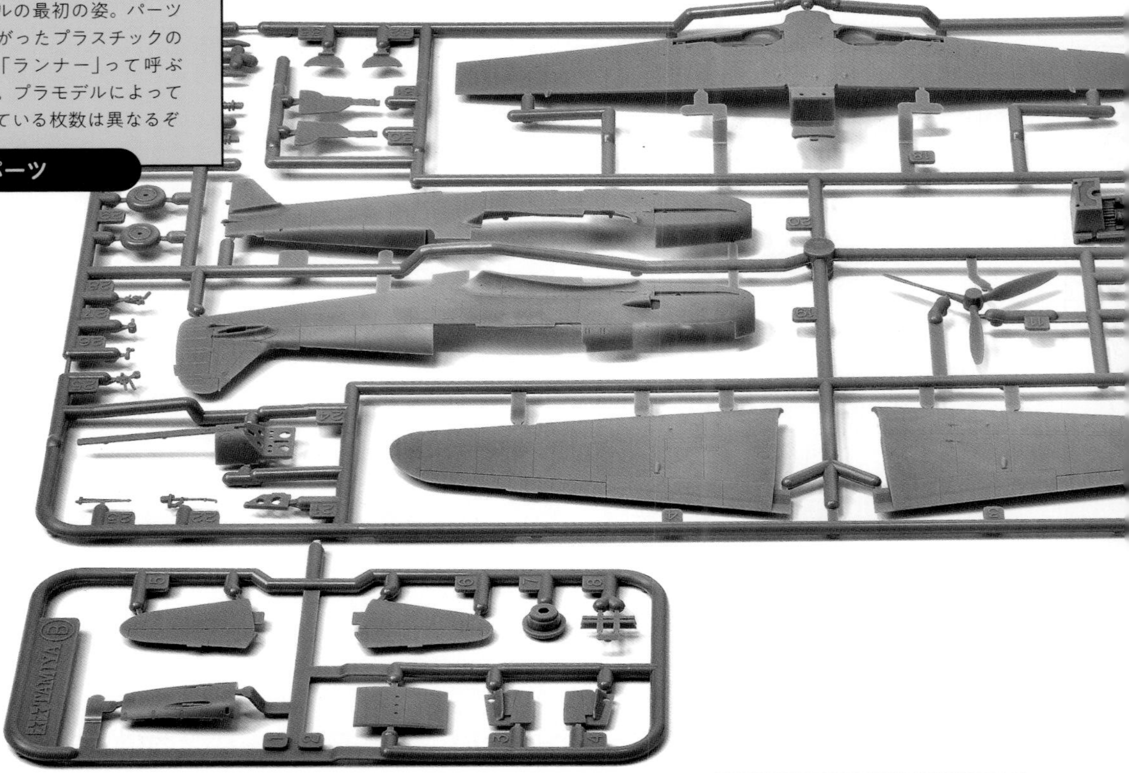

この説明書を見ながら、パーツを切り出したり組み立てたりしていく。説明書や塗装図の読み方はこの後のページで紹介していくね

組み立て説明書

柔らかい素材で、プロペラなど動くパーツの固定に使用する。予備が付属する場合もあるけど、小さいパーツなので無くさないよう注意

ポリキャップ

クリアパーツ

グレーのパーツだけじゃなくて、キレイな透明パーツ（クリアパーツ）も入っている。窓ガラス（キャノピー）やライトパーツなどの表現に使用される

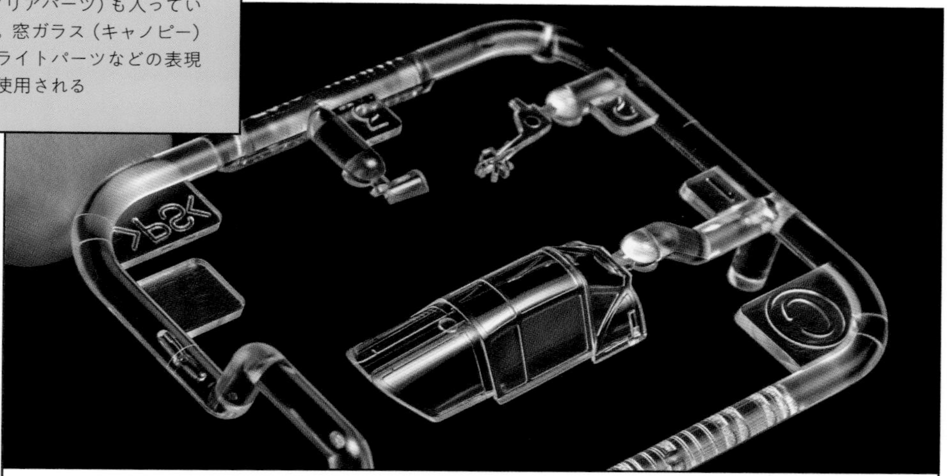

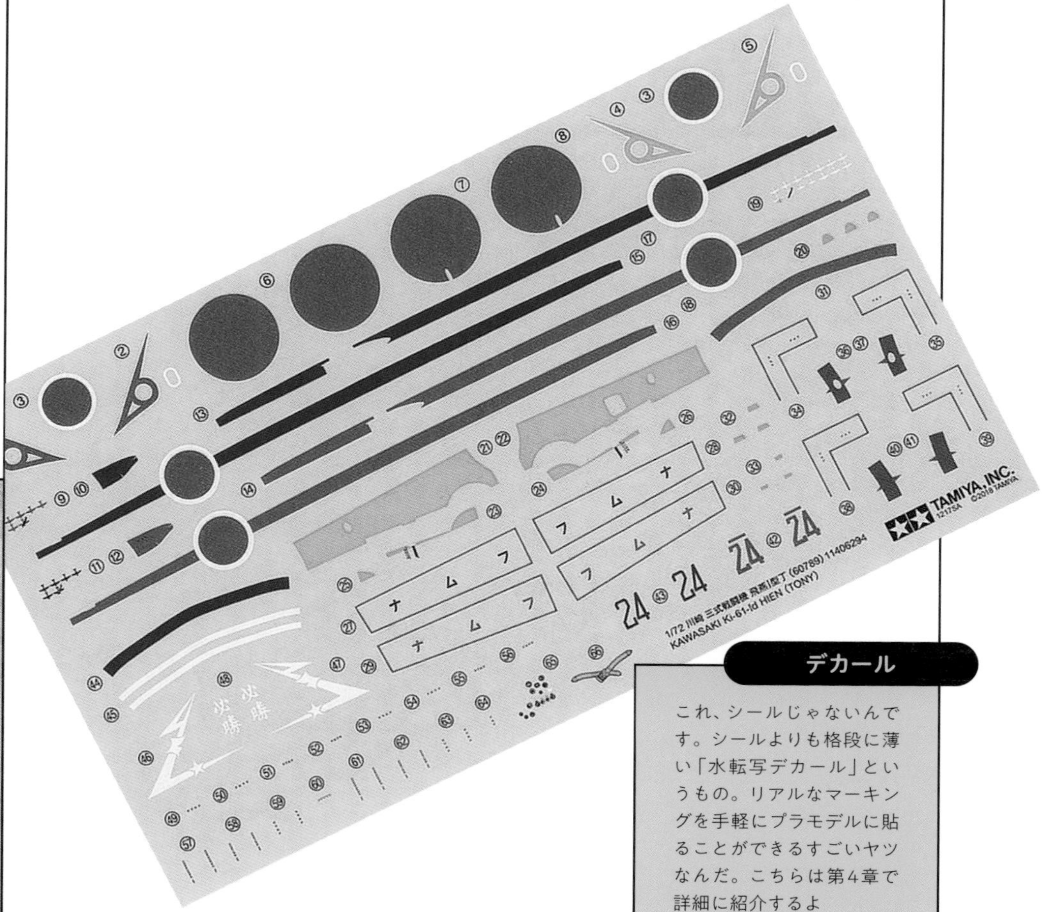

デカール

これ、シールじゃないんです。シールよりも格段に薄い「水転写デカール」というもの。リアルなマーキングを手軽にプラモデルに貼ることができるすごいヤツなんだ。こちらは第4章で詳細に紹介するよ

STEP.02

組み立て前にこれだけは覚えておこう

組み立てるには説明書を読んでパーツを探していく必要がある。そのためには、ちょっとだけ知っておいてほしいことがある。簡単なのでサクッと覚えて組み立てをスタートしよう!

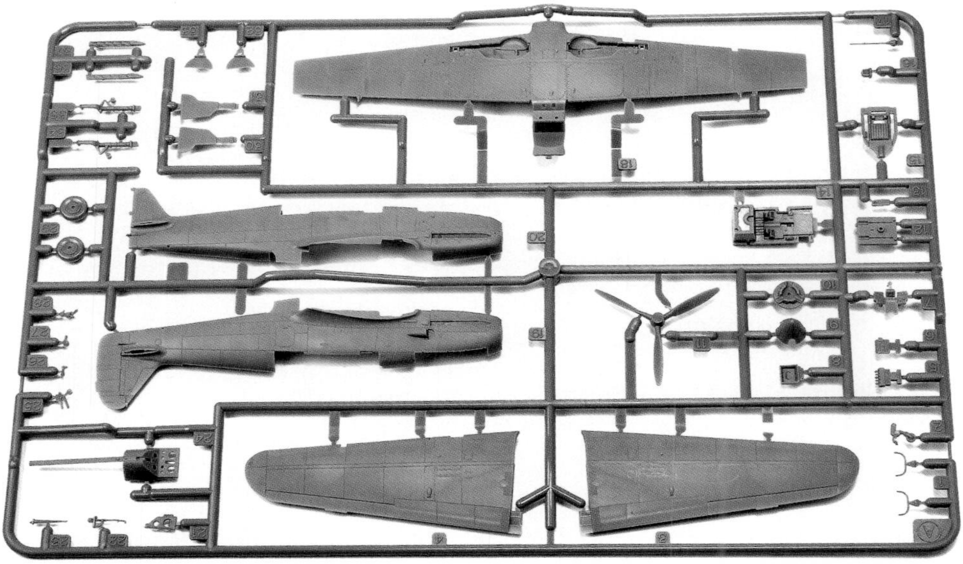

ランナーの見かた

パーツは「ランナー」に「ゲート」を介して繋がっているんだ。ここからパーツを見つけ出して組み立てていくには、3つの要素であるランナー名、ゲート、パーツ番号を確認する必要があるよ

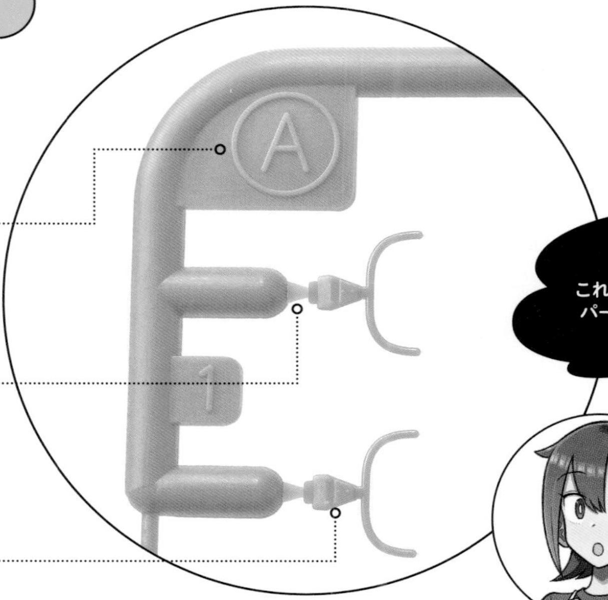

ランナー

赤色の部分はランナーと言って、パーツが収まっている大枠を示す。「A」や「B」などアルファベットで区別されている

ゲート

パーツとランナーを繋ぐ細いプラスチック、これを「ゲート」と呼ぶんだ。このゲートをカットすることでパーツをランナーから取り出せるぞ

パーツ

1番と書いてあるね。これがパーツ番号。このパーツは、Aランナーのなかの1番パーツと言う意味なんだ

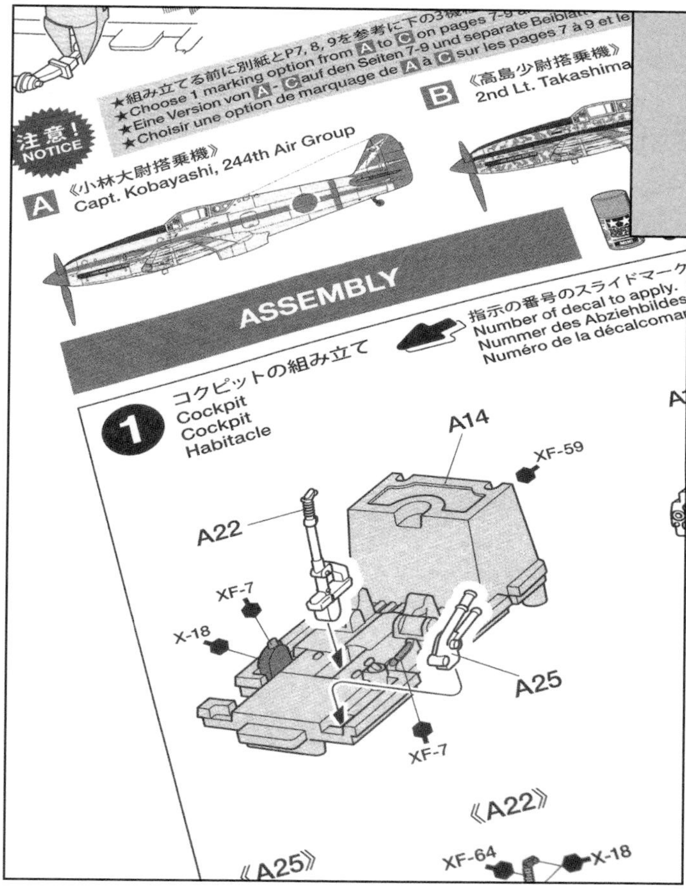

説明書の読みかた

説明書を開いてみよう。様々な文字や記号がたくさん！　ちょっと混乱しちゃうかな？　でも大丈夫。組み立てるだけなら、チェックしていくところはとてもシンプル。順を追って見ていこう

1 まずはステップ①を見つけ出そう

説明書はパーツの組み立て順に並んでいるよ。まずは1番最初の手順であるステップ①のところからスタートしよう

2 いろんな記号があるけど見るのはひとつだけ！

コクピットの組み立てにクローズアップすると、たくさんの指示マークがあるのが分かるね。パーツを切り出す時は赤で記した「A22」などのパーツ番号だけ確認すればOKだ！

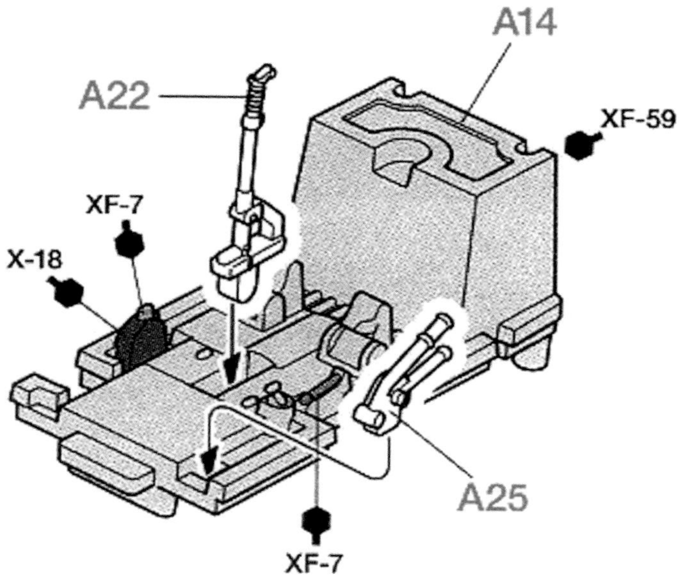

STEP.03

ニッパーを使って必要なパーツを切り出す

組み立てるパーツの探し方を覚えたら、見つけたパーツを実際にカットしよう。
使用するのはプラモデル作りで一番使用する工具、「ニッパー」だ

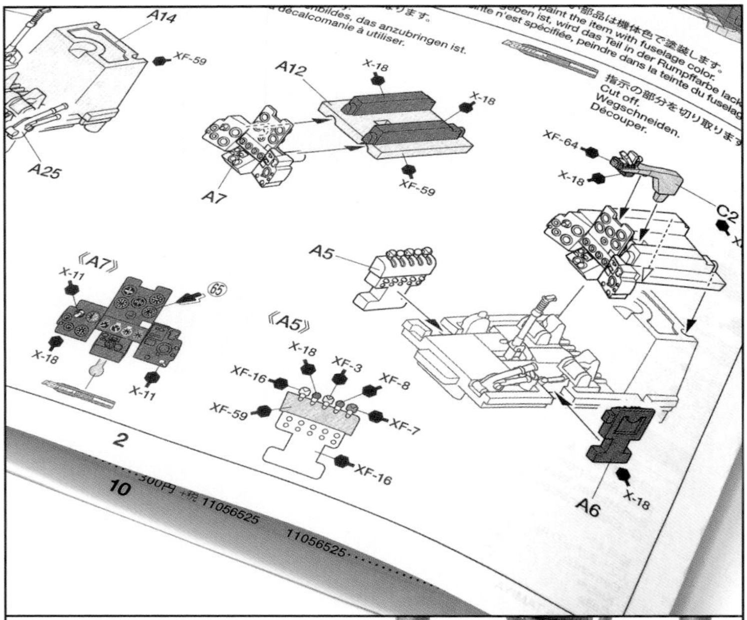

1 必要なパーツを探し出そう

ステップ①の「A14」のパーツをカットしてみよう。Aランナーから14番のパーツを見つけ出そう

2 パーツをニッパーで切り出そう

ニッパーの表（平らなほう）を、カットするパーツと向かい合うように刃を入れよう。カットするのはゲート部分。パーツのギリギリでカットしないで、少しゲートを残し気味にして切るのがポイント

使うもの

ニッパー 

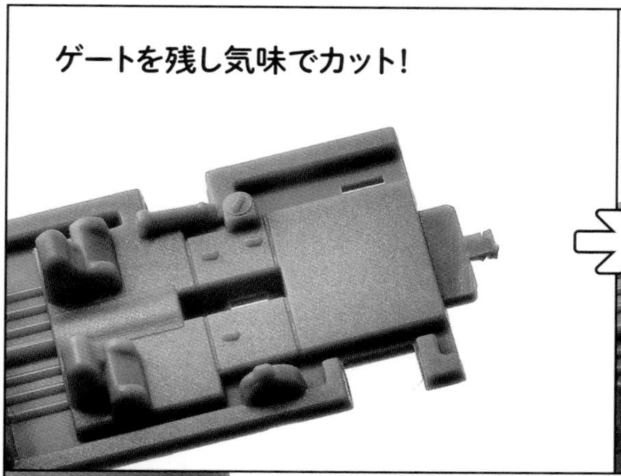

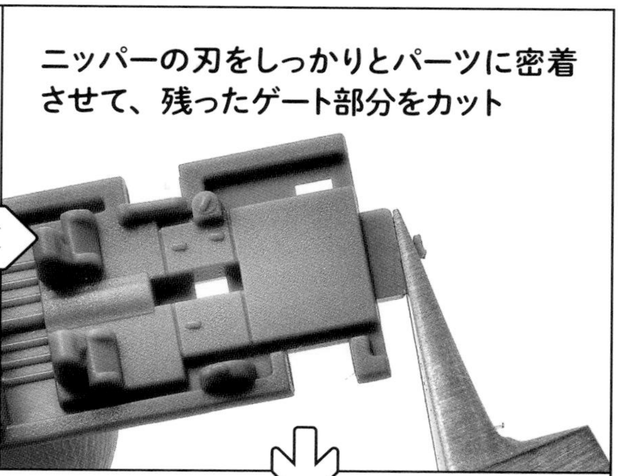

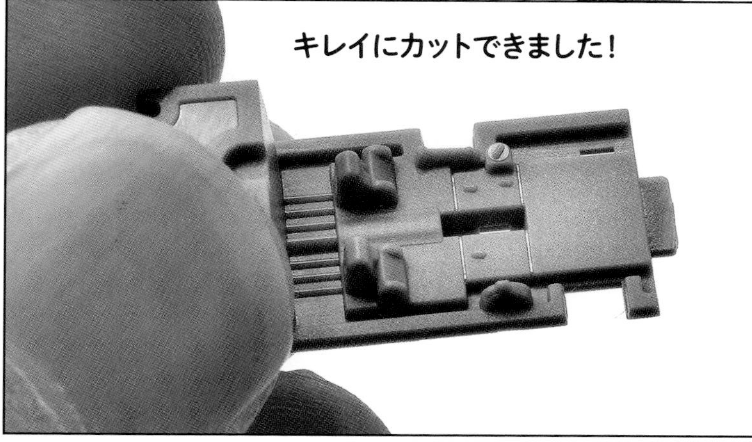

3 残ったゲートをきれいにする

このようにカットすると、よりきれいにゲートを除去できるよ。一度でカットしようとするとパーツによっては破損する可能性もある。2度切りはキレイかつ安全にパーツをカットできる方法なんだ

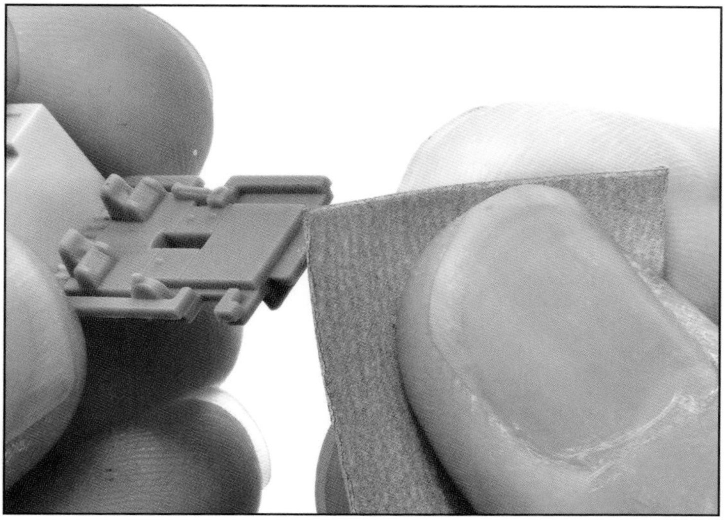

4 必要な場合は紙やすりで仕上げる

もしゲートが少し残ってしまったら、紙ヤスリで削ってあげよう。力を入れないで軽く擦ればキレイに仕上がるよ

使うもの

紙ヤスリ

STEP.04

パーツを接着剤でくっつけてみよう

カットしたパーツを組み立てるにはパーツ同士を接着しなければならない。そんな時、多くの飛行機模型は「接着剤」を使用する。まずは一番ベーシックな接着方法を見ていこう

1 パーツの接着場所を先に確かめる

パーツの接着場所は、矢印で指示されている。説明書のイラストと実際のパーツを確認しながら、矢印が向かっている場所をチェックしよう

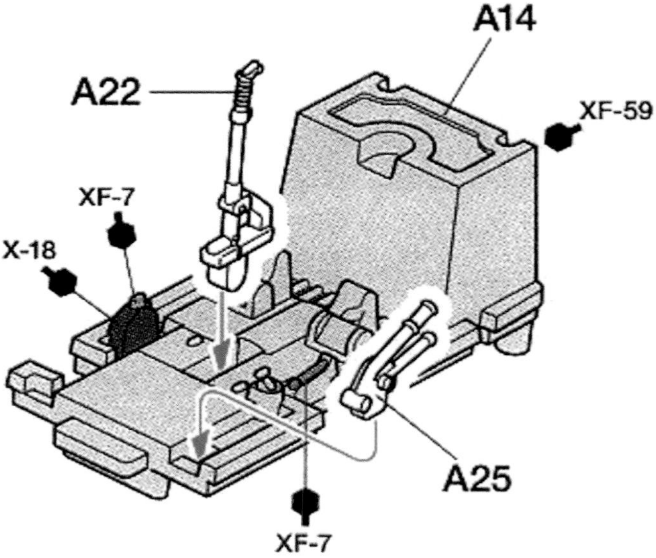

2 ハケを使って接着材を塗る

タミヤの通常接着剤（白フタ）を使用する。フタ裏のハケを使って、パーツの軸部分にだけ接着剤を塗るようにしよう

使うもの

通常接着剤
ピンセット

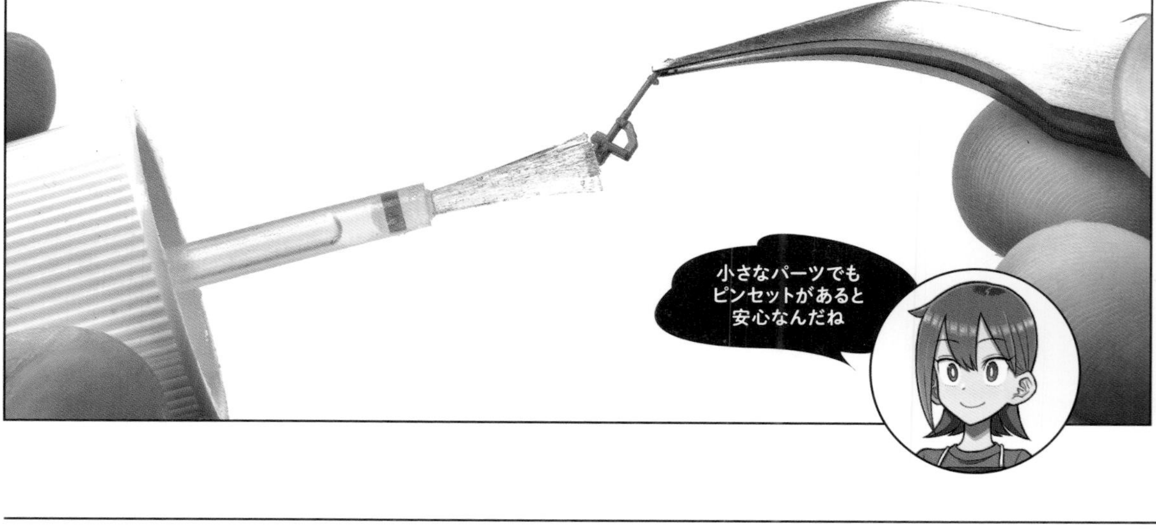

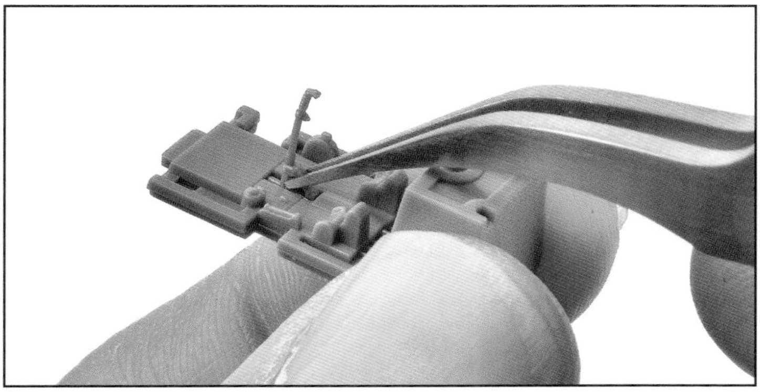

3 接着する

接着剤を塗ったパーツを、接着場所にセット。軽く押し込むだけでパーツは固定されるよ。細いパーツなどは力を入れすぎて折らないように気を付けてね

4 乾燥の待ち時間にほかのパーツを組み立てよう

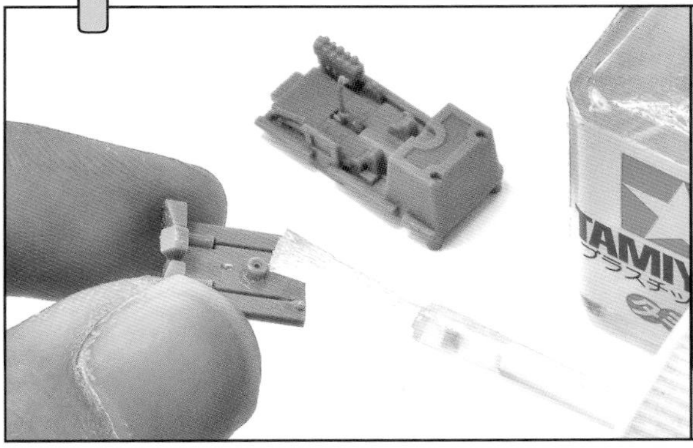

パーツをしっかり固定するための大きな軸があるね。ここもピンポイントで接着剤をしっかりと塗って、パーツを接着しよう

接着剤が完全に乾くには厳密には1日を要するけど、5分もしないうちに触ったくらいではパーツが外れないようになるから、どんどん貼っていこうね

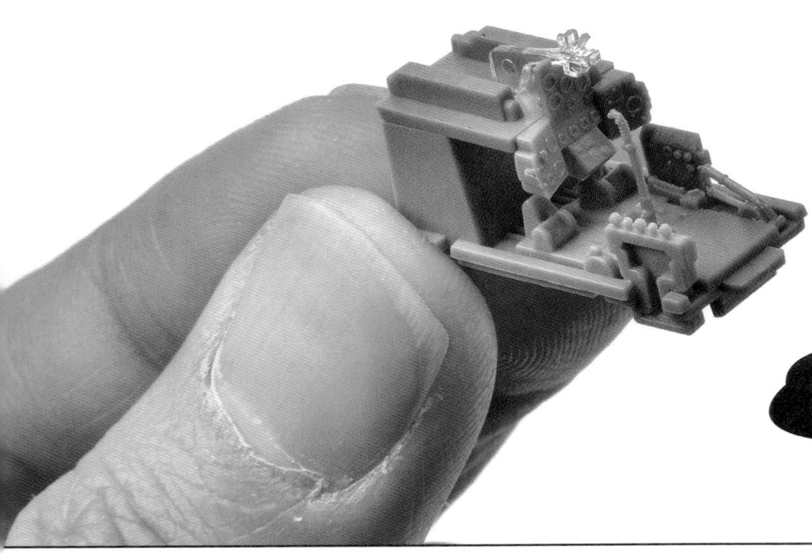

5 コクピットの完成！

コクピットが形になったよ！　接着をする時は、大きいパーツ以外はできるだけピンセットで摘まむようにしよう！　接着剤が付いた指でパーツを触ると汚れてしまうから注意

HOW TO USE *tools*

知ってる？　道具の使い方

この後に登場するデザインナイフやドリルは、「刃を交換して使う」という共通項を持つ道具。ここではその使い方を見ていこう

デザインナイフの刃を交換

デザインナイフの利点は刃を適宜交換できること。常に切れ味を良い状態に保つことができるんだ

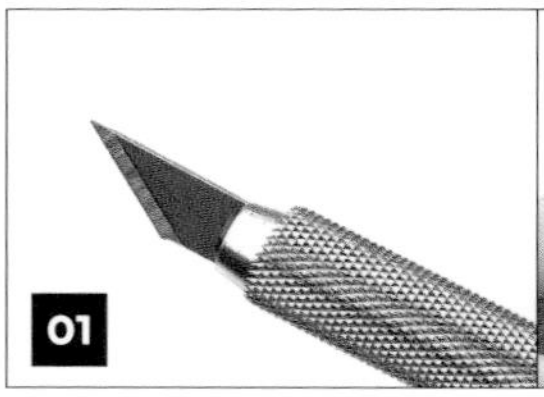

▲長時間使用していると、切れ味が落ちてくる

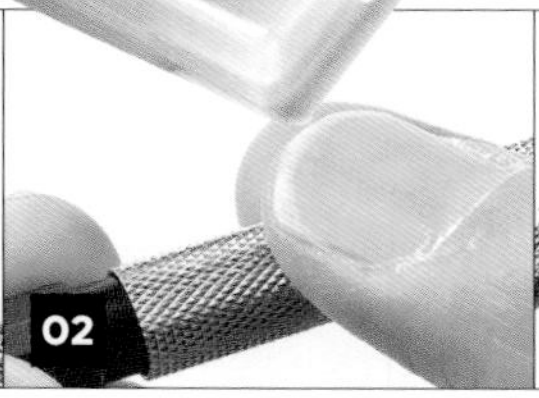

▲グリップ部分を緩めると刃を取り出すことができるよ

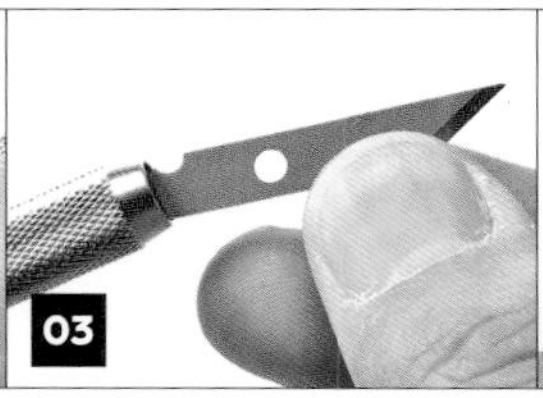

▲新しい刃をグリップ内に差し込んで装着するよ

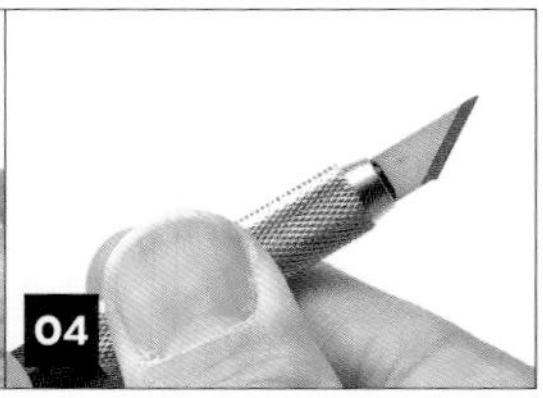

▲グリップをきつく締めれば刃の交換はOK！

ピンバイスのドリルの変更

ピンバイスはドリルを交換することによって口径（太さ）を変えることができるよ。これで様々な大きさの穴を開けることができるようになるんだ

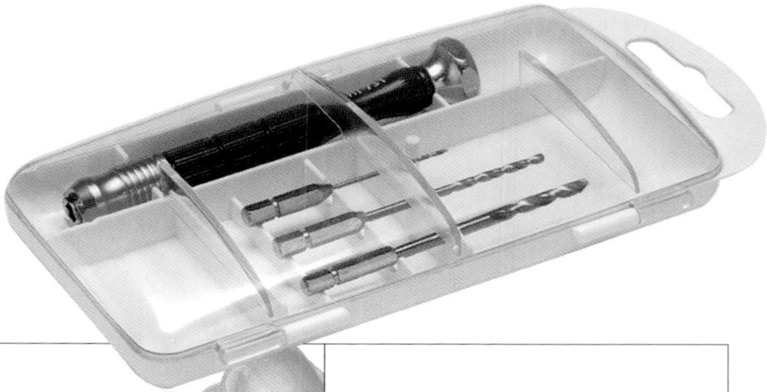

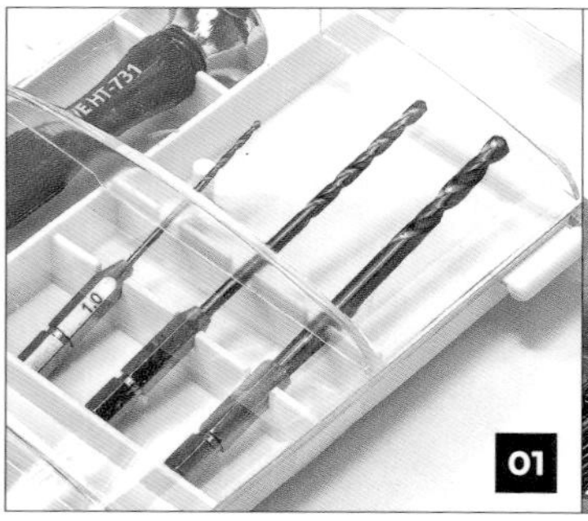

▲ウェーブのワンプッシュタイプはドリルの交換が簡単。セットには3種類のドリルがラインナップされている

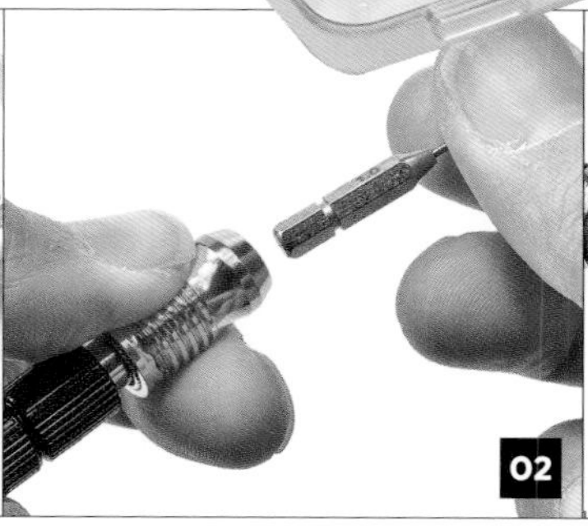

▲グリップ部分を前方に押し出すだけでロックが解除されドリルが抜ける便利な仕組みになっているんだ

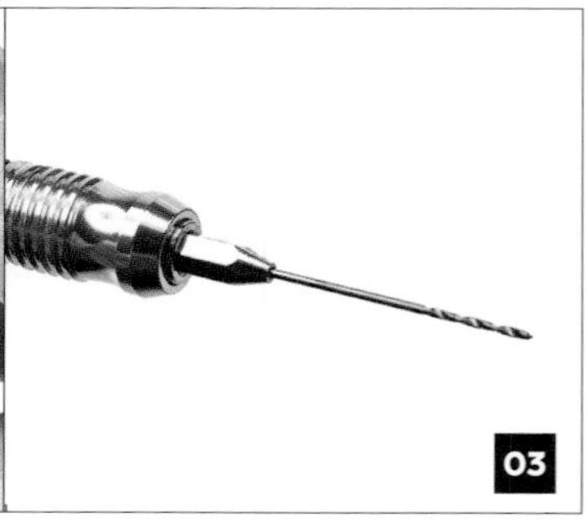

▲グリップのロックを解除した状態で、違うドリルを取り付けてグリップ位置を戻せばロック完了！

STEP.05

胴体を切り出そう!

コクピットができたら次のステップへ。飛行機の胴体パーツを切り出そう。ここにはちょっと変わったゲートが登場するよ

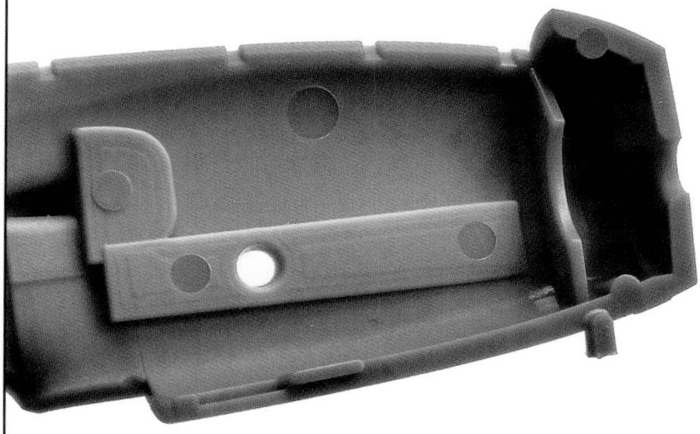

1 ちょっと難しいゲートのかたち

胴体の接着面にゲートが付いているね。これは「アンダーゲート」と呼ばれるもので、パーツの表面にゲートをカットした痕が残らないようにするために配置されたものなんだ

使うもの

ニッパー

2 まずはニッパーでていねいに切り取ろう

パーツのギリギリの位置でゲートをカット

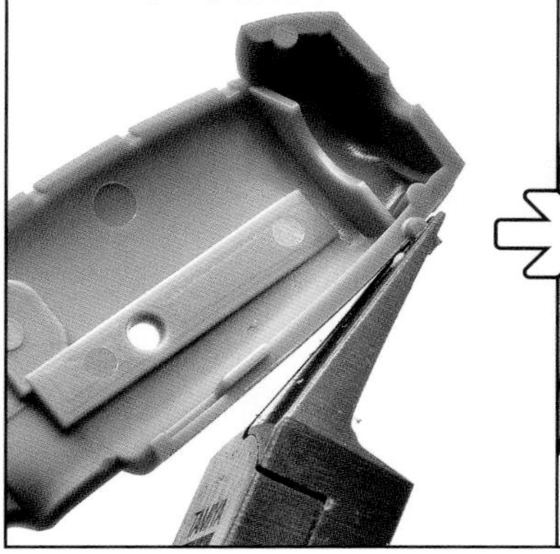

つぎにパーツの断面に残ったゲートをカット

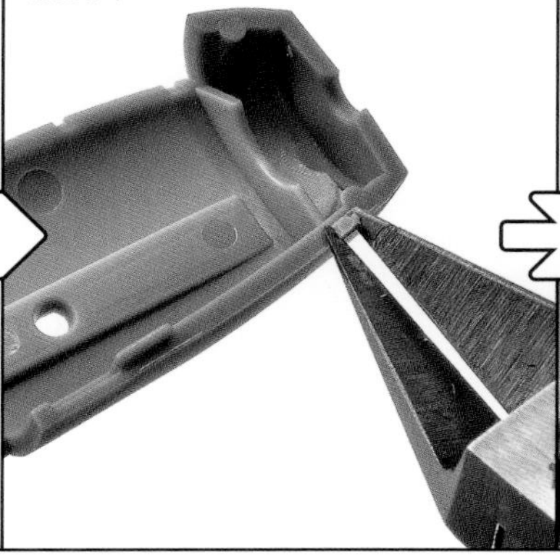

うっすらゲート痕が残るくらいにカットできました

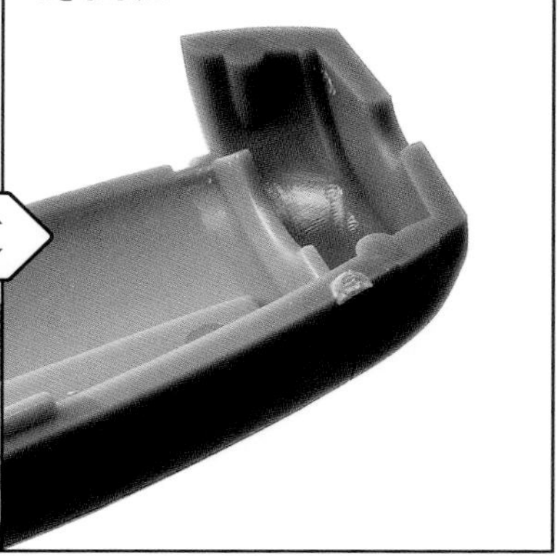

アンダーゲートの切り出し方は独特だ。順を追って見ていこう。まずはこの順番通りにニッパーでカットしよう

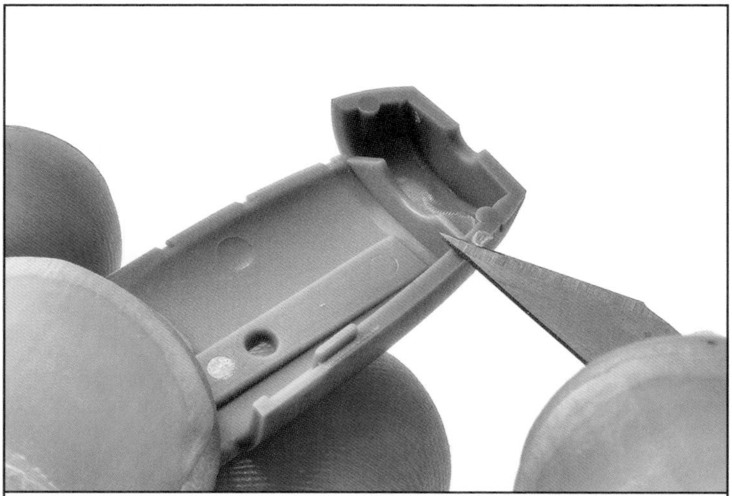

1 デザインナイフでもっときれいに

うっすらと残ったゲート痕でもパーツの接着には邪魔になるよ。この部分をデザインナイフを使って削ぐようにカットしよう

使うもの

デザインナイフ

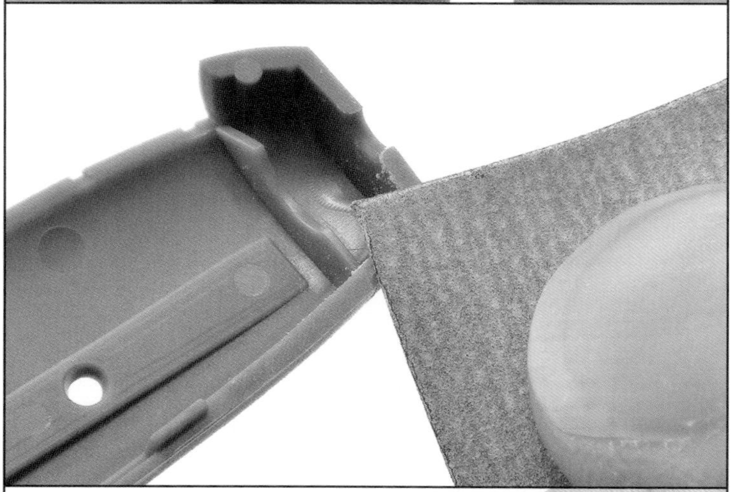

2 紙やすりで仕上げてあげるとさらに安心

デザインナイフでカットした後に軽く紙ヤスリを使って仕上げてあげるとさらに安心だよ

使うもの

紙ヤスリ

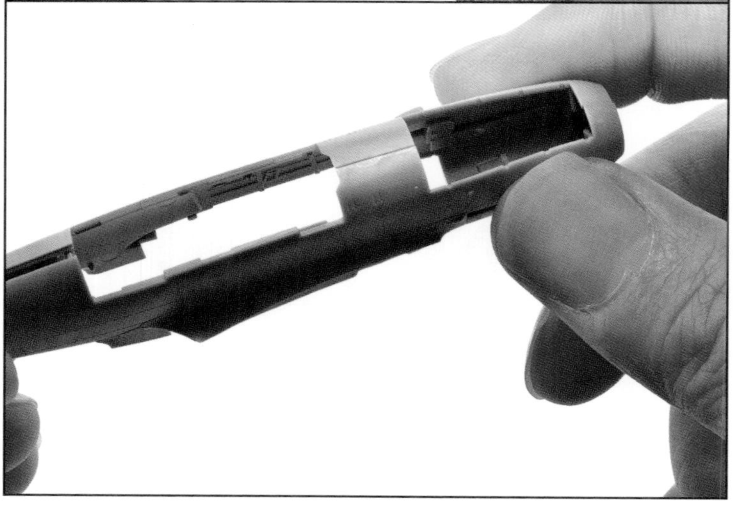

3 仮組みで問題がないかチェック!

カットしたら、接着剤を付けないでパーツ同士を仮合わせてしてみよう。ピタッと合えば問題無しだ

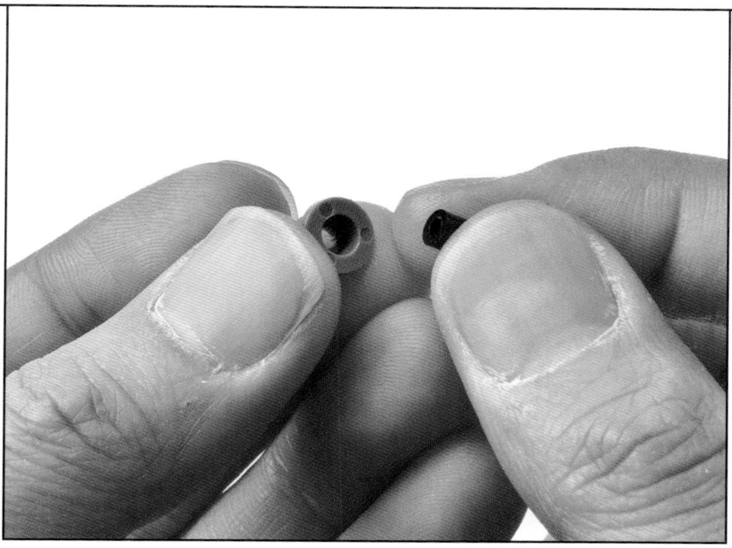

4 胴体の接着前にポリキャップも忘れずに

プロペラを固定するためのポリキャップは胴体内に収納される。これが意外と入れ忘れの多いパーツのなので気を付けよう

どっちの接着剤を使えばいいの？

ここからの接着では先ほどの通常接着剤に加えて、流し込みタイプの接着剤が登場するよ。このふたつの使い分けかたを覚えればもう怖いものなし！！　ガンガン飛行機模型を形にしていこう

〇流し込み接着剤

パーツ同士を合わせた隙間にハケを置くことで、サラサラな接着剤が勝手に流れ込む

〇通常接着剤

トロトロとした接着剤で、細かいパーツの軸などにピンポイントで塗って使用する

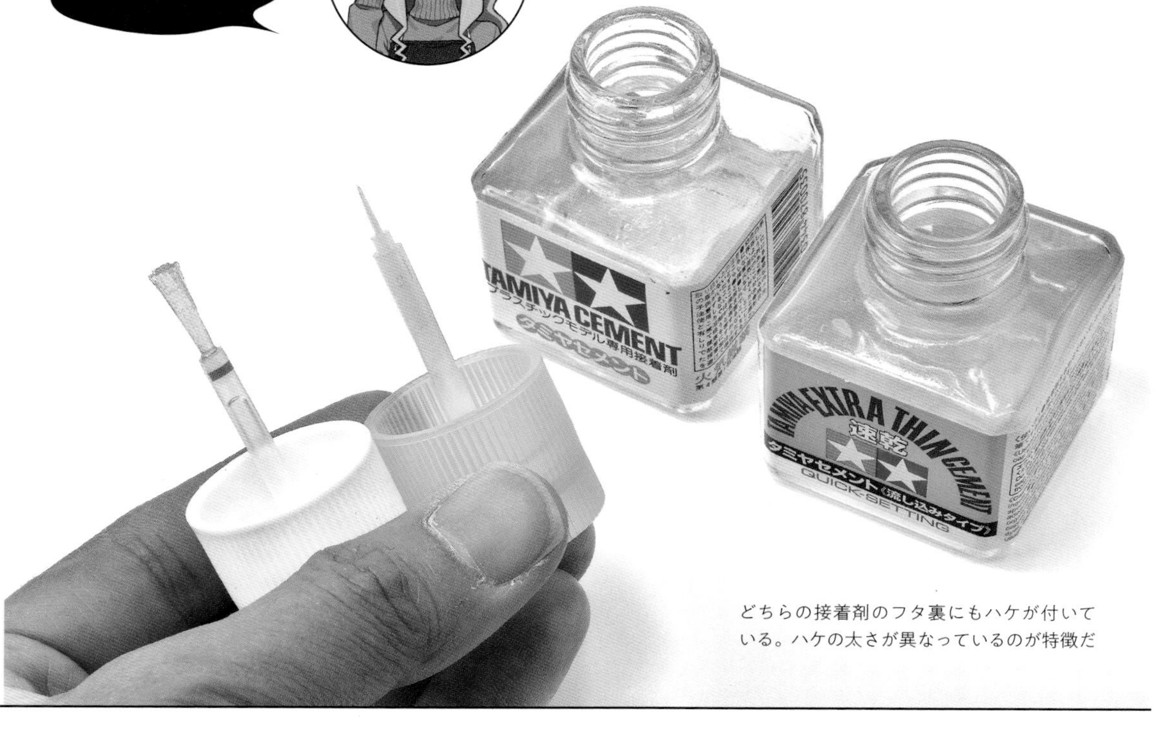

どちらの接着剤のフタ裏にもハケが付いている。ハケの太さが異なっているのが特徴だ

STEP.06

胴体パーツを接着してコクピットと合体しよう

アンダーゲートも綺麗にカットした胴体を、実際に貼り合わせていく。ここで使用するのが前ページで紹介した「流し込み接着剤」。パーツの面と面同士で接着する時にこの接着剤を使用すると、とてもキレイかつ簡単に接着することができるぞ

使うもの

流し込み
接着剤

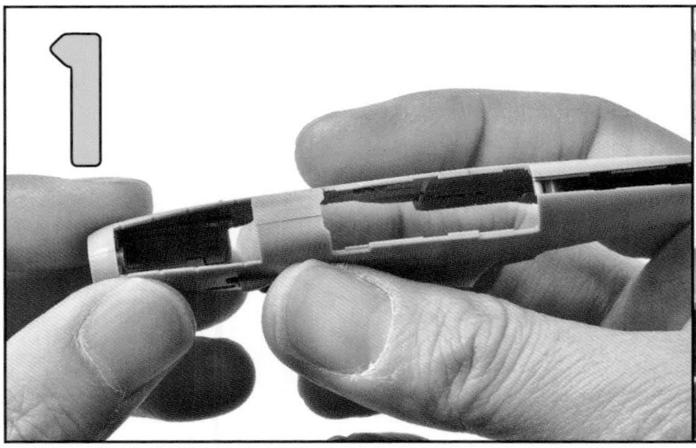

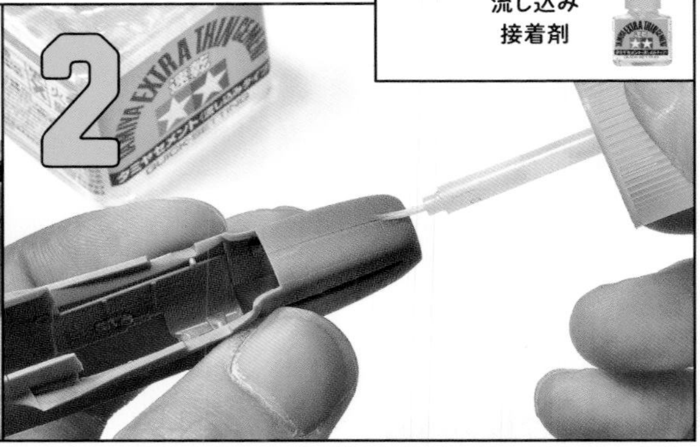

仮組みをしっかり行なおう

仮組みをして、パーツがしっかりと合うか確認。ここでズレているとキレイに接着することはできないよ

胴体の接着は流し込み式が得意!

左右のパーツを合わせた間に、流し込み接着剤のハケをチョンと置くだけ！　これだけでパーツが接着できる

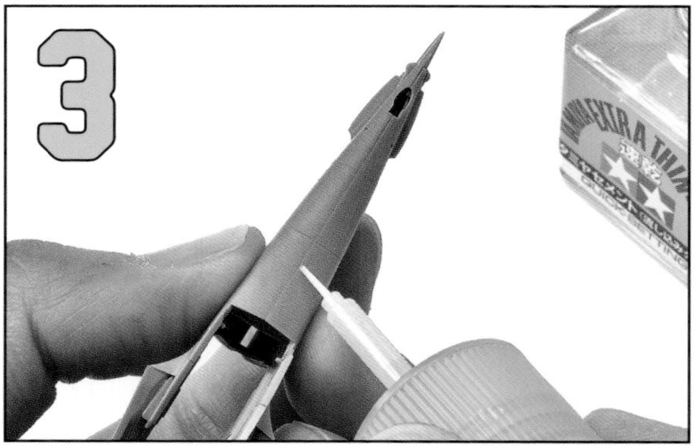

ぐるっと一周にわたって接着しよう

胴体パーツは上面だけでなく下面にも接着面があるから、全周囲しっかりと流し込み接着剤を流していこう

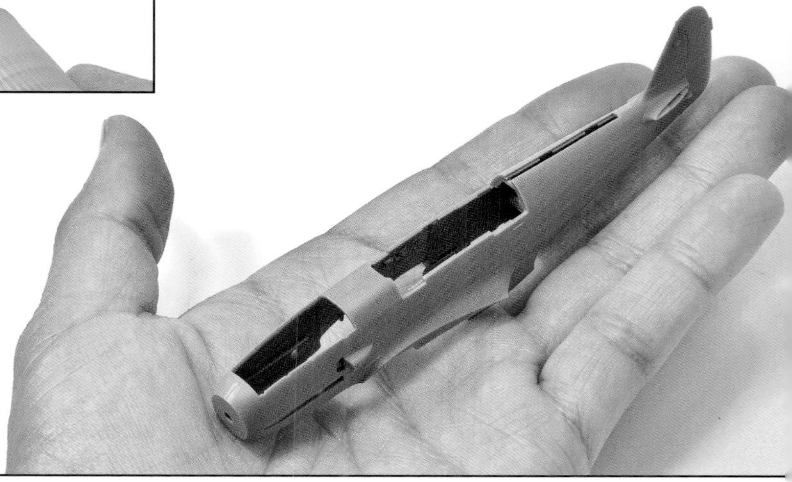

▶流し込み接着剤は、接着剤痕も残らずにサクサクとパーツを接着できる魔法のツール。これを使えるだけで飛行機模型の組み立てが抜群に楽しくなるよ！

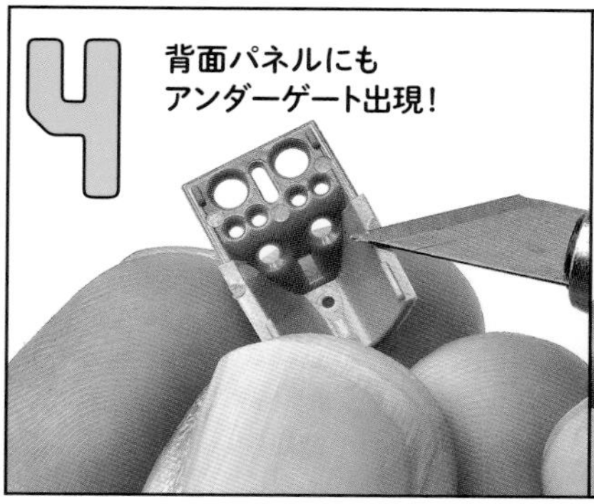

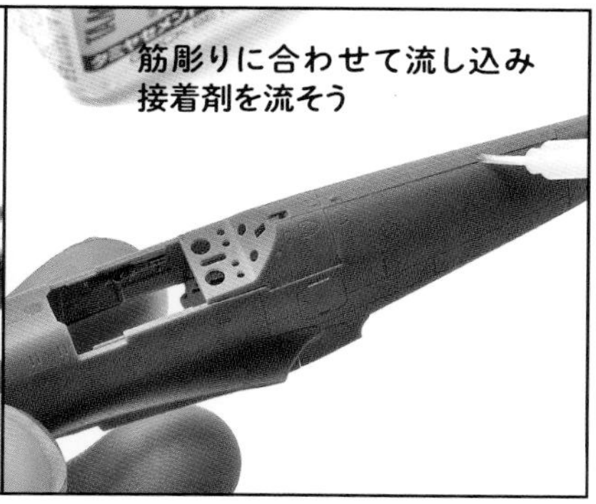

背面パネルの接着

背面パネルはキレイにカットして胴体に乗せるとピタ～っと合うよ。後は流し込み接着剤をチョンと流せばキレイに接着できる

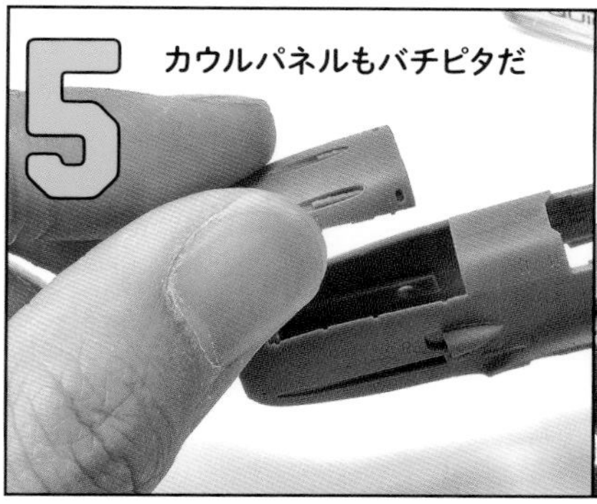

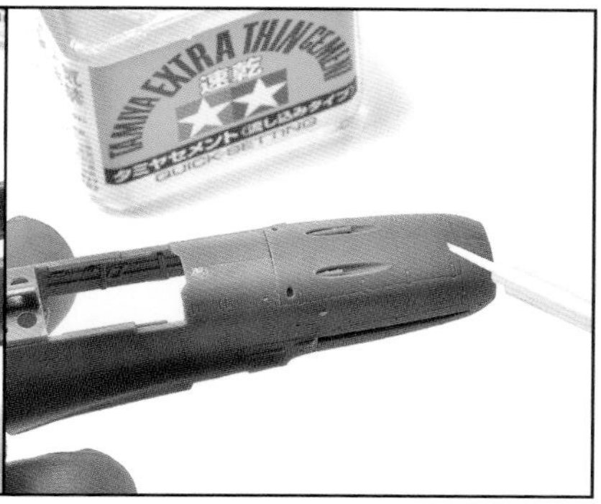

カウルパネルの接着

ここも背面パネル同様に、乗せるだけでピタッとジャストフィット。隙間に流し込み接着剤を流せば、まるで最初から1パーツだったみたいに貼ることができる

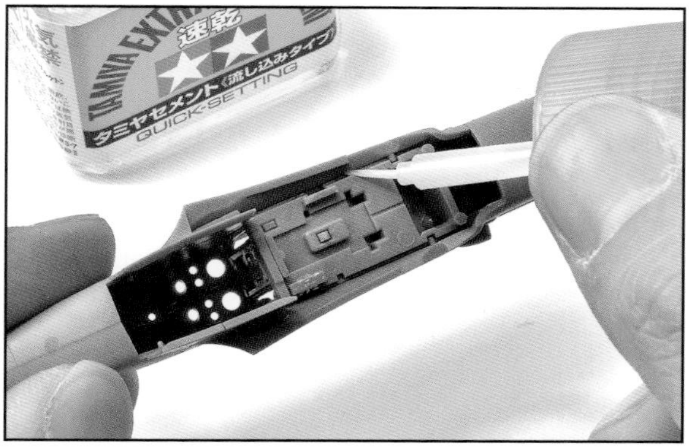

6 コクピットを組み込みます！

締めはコクピットの接着。コクピットはお腹の下から入れる。はめ込んだら流し込み接着剤で固定しよう

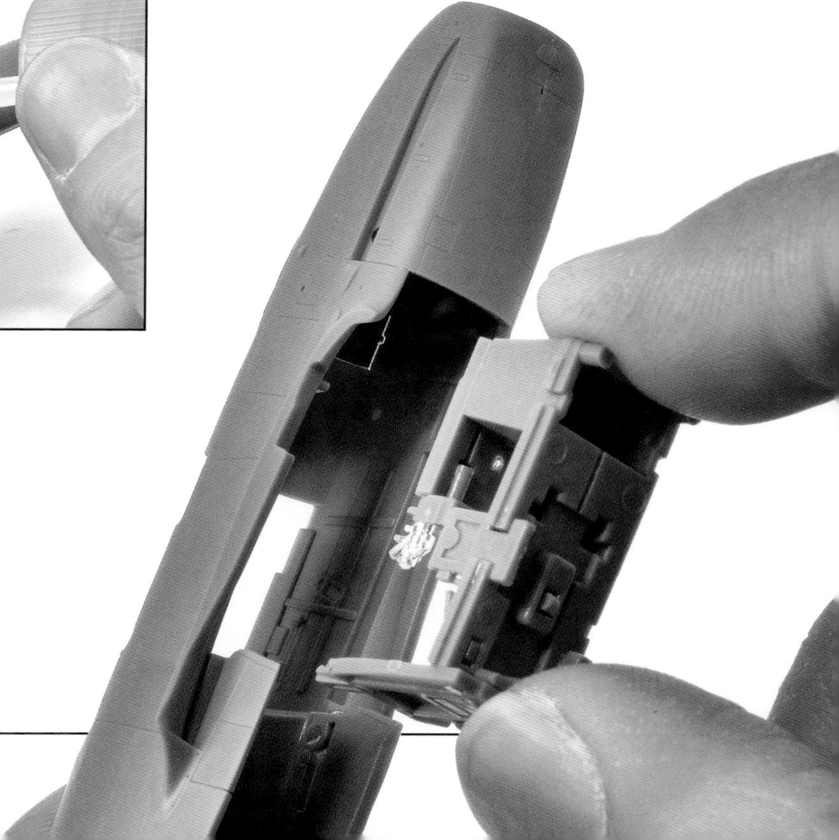

STEP.07

飛行機のつばさを組み立てていこう!

飛行機のメインパーツである「つばさ」の組み立てだ。大きなパーツなので雑に組み立てるとアラが目立つ。ちょっとだけ慎重に組み立てていこう

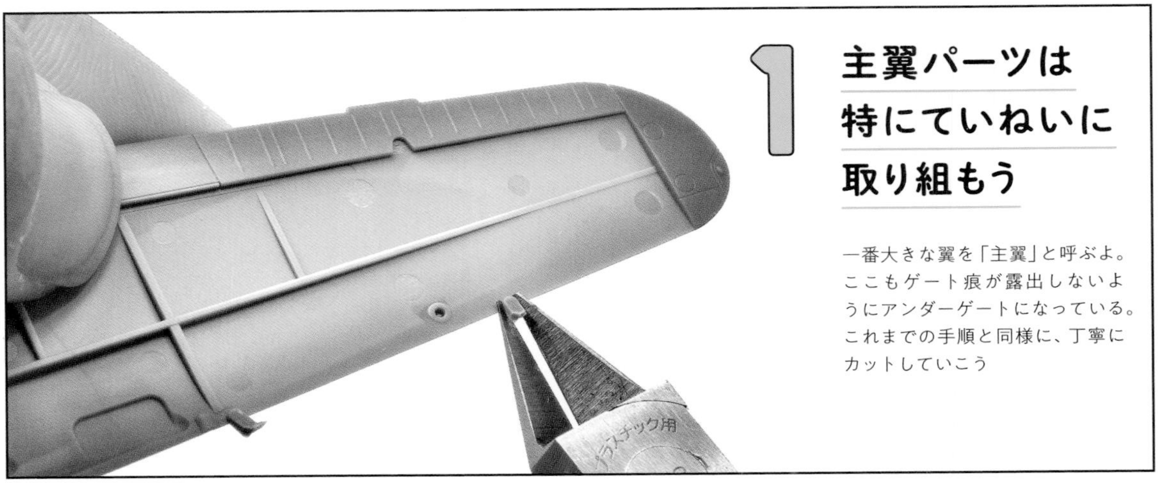

1 主翼パーツは特にていねいに取り組もう

一番大きな翼を「主翼」と呼ぶよ。ここもゲート痕が露出しないようにアンダーゲートになっている。これまでの手順と同様に、丁寧にカットしていこう

使うもの

ピンバイス

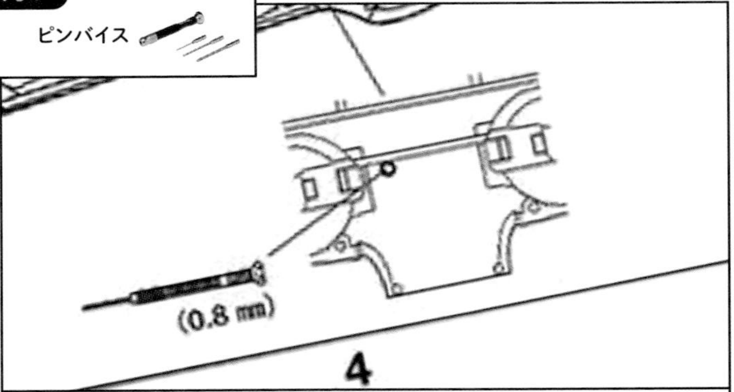

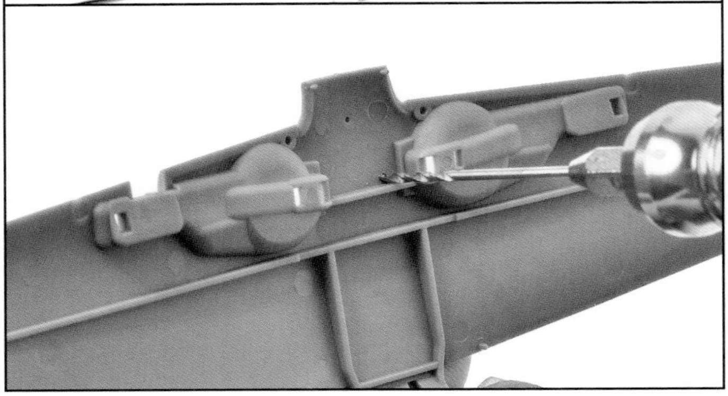

2 説明書の穴あけマークを見逃さないように!

主翼のパーツには、穴を開ける指示が登場する。これを見逃して組み立ててしまうと、パーツを取り付けられなくなるので注意(忘れても飛行機のカタチにはなるけどね)

3 穴を開けるためにはピンバイスを使うよ

説明書の指示通り、0.8㎜のドリルで穴を開けよう。パーツの内側に、穴を開けるためのアタリ穴があるので、そこにピンバイスを挿して開口する

4 主翼パーツの接着は流し込みタイプで！

主翼は上面と下面をしっかりと仮合わせして、流し込み接着剤を流そう。このキットのパーツ精度はとっても高いので、ピタ～っとくっついていくよ

使うもの

流し込み接着剤

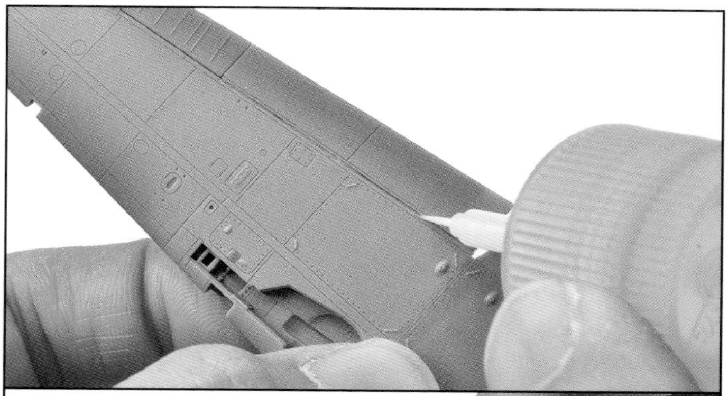

5 つばさの裏面ももれなく接着しよう

主翼の裏面にも接着面がある。接着剤がはみ出さないように、パーツ同士の合わせ目に沿って丁寧に流し込もう

6 胴体と主翼パーツを組み合わせる

胴体と主翼パーツをドッキング。ぴったり合わなかったら、どこかのゲートが残っていたりする証拠。しっかり確認して仮組みしよう

7 流し込み接着剤で胴体と主翼を接着しよう

胴体と主翼の接着も、流し込みタイプの接着剤が大活躍。まずはお腹部分を貼り合わせよう

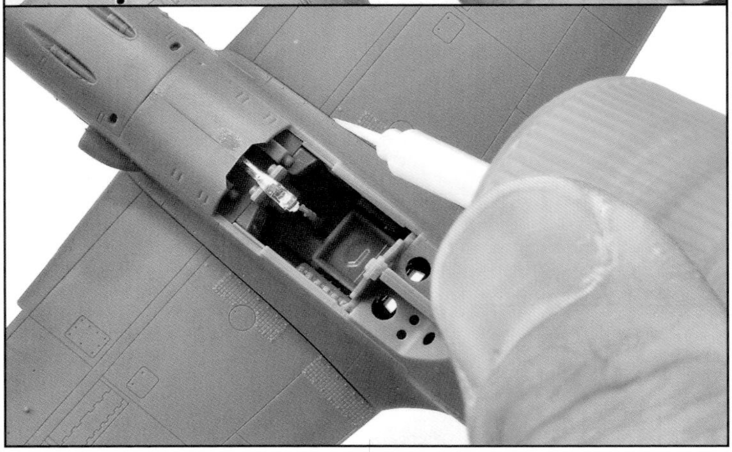

8 できるだけはみ出さないように!

上面で胴体と主翼が合わさる部分は、完成後も目立つ場所。流し込み接着剤をはみ出させないように慎重に接着しよう

STEP.08

ヒコーキモケイの脚とタイヤをつくる

飛行機模型の組み立てで、特に慎重に行ないたいのが「脚」のパーツ。ここの組み立てと接着が雑だと完成後グラグラしたり斜めに傾いた状態の飛行機になってしまってカッコ悪くなっちゃうぞ

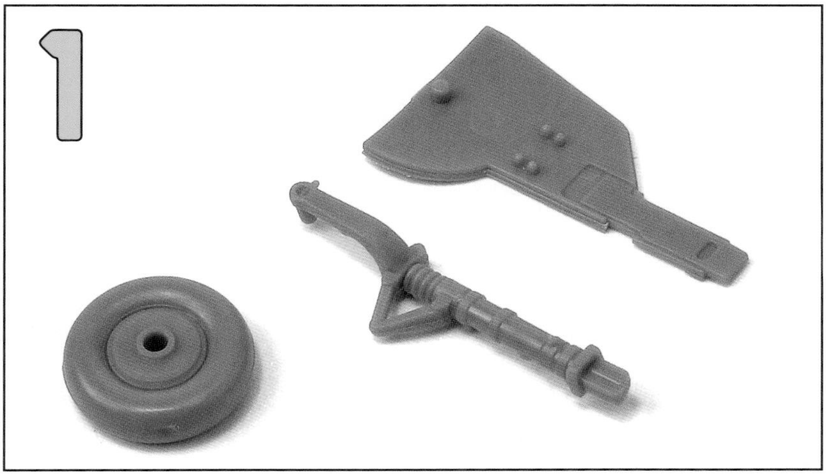

必要な脚まわりのパーツを切り取る

脚は、左からタイヤ、脚柱、脚柱カバーの3パーツで構成される。ここは接着剤の使い分けがキーになるので順を追って見ていこう

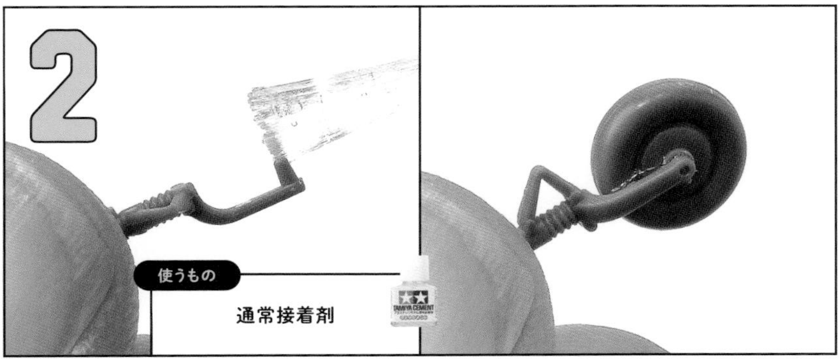

タイヤを接着する

タイヤは地面に接して飛行機をしっかりと支える部分。ここは乾燥後もがっちりと固まる通常接着剤で、しっかりと貼ろう

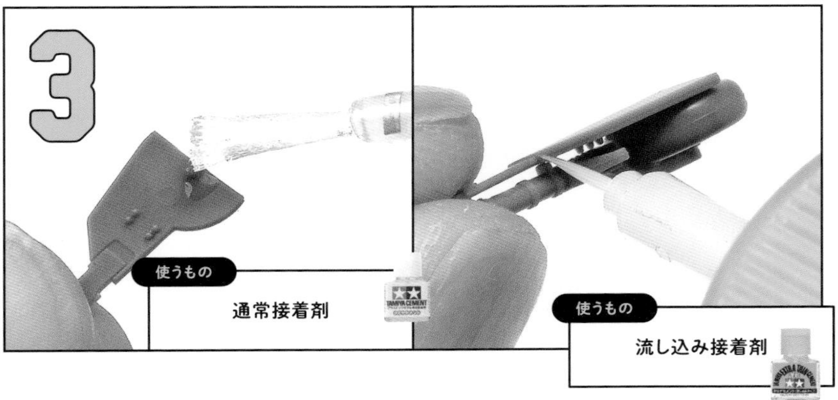

カバーパーツを脚と合体させる

カバーパーツは、まずは通常接着剤を取り付け軸にチョンチョンと塗って、脚柱に仮固定する。その後、流し込み接着剤を流すことでキレイにがっちり貼ることができるんだ

4 接着剤を使い分けて残りのパーツも接着しよう

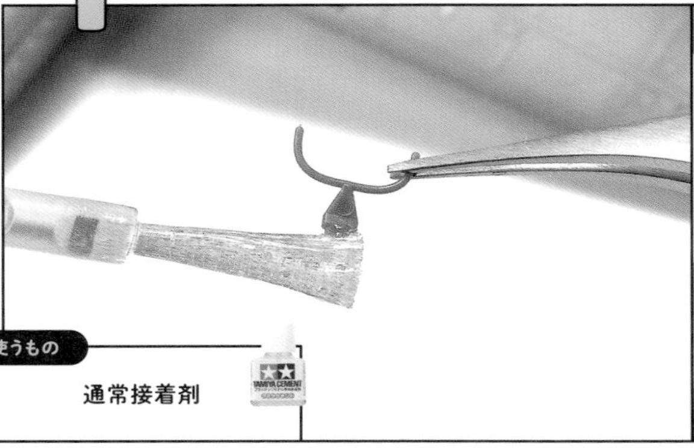

使うもの
通常接着剤

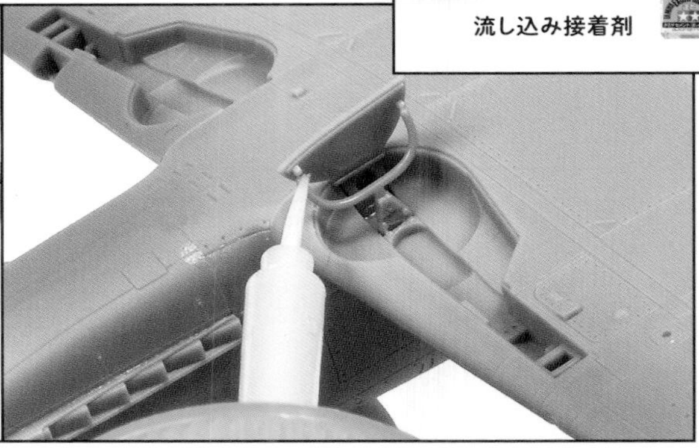

使うもの
流し込み接着剤

残りの脚カバーパーツも作ろう。脚庫カバーを支える支柱は通常の接着剤で貼るよ。小さなパーツなので注意！

脚庫のなかに支柱を接着したら、カバーパーツと接する部分は流し込み接着剤を流して補強しよう！　これでしっかりと接着できた

5 完成した脚をつばさと組み合わせる

通常接着剤をしっかりと脚柱の軸に塗って、主翼と接着しよう。通常接着剤は完全乾燥後にがっちりと強度が出るのでオススメ

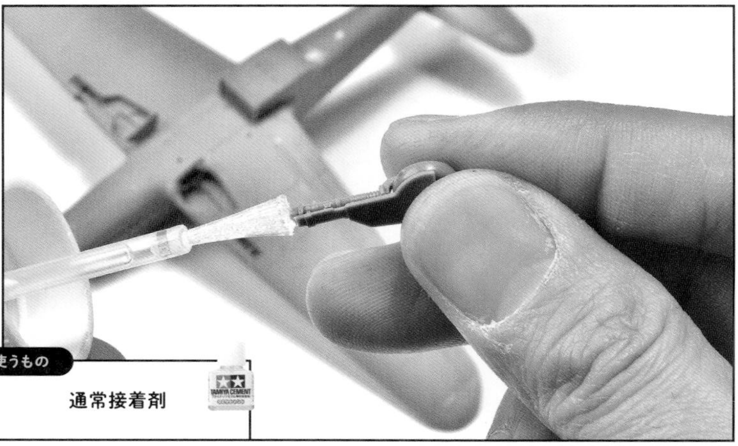

使うもの
通常接着剤

◀脚を接着して正しい位置に調整したら、接着剤が固まるまで(15分くらい)絶対に触らないこと。脚がずれると飛行機が真っ直ぐに立たなくなるよ

STEP.09

残りのパーツを取り付けよう

残すは細かいパーツの取り付け。プロペラやアンテナパーツ、クリアーパーツを取り付けよう。
飛行機模型は終盤にかけて細かい工作が必要なステップが増えるので気をつけてね

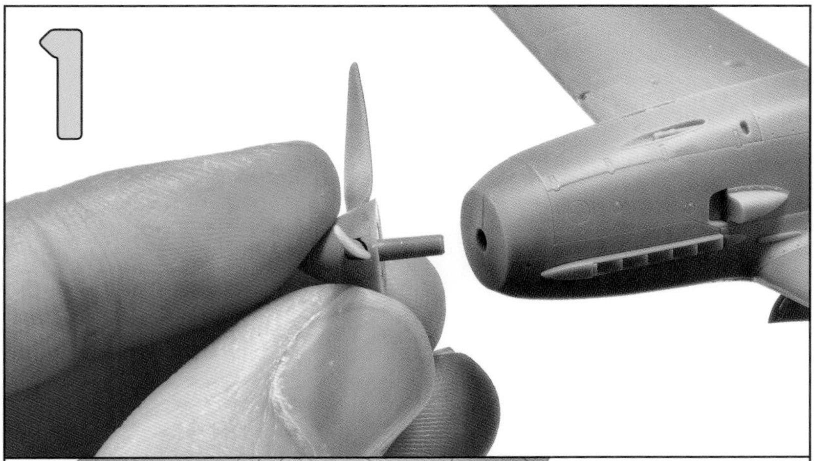

プロペラパーツを機体に差し込む

プロペラは胴体内部のポリキャップ（45ページを参照）に挿すだけでしっかりと固定される。接着剤を付けてしまうとプロペラが動かなくなってしまうので注意

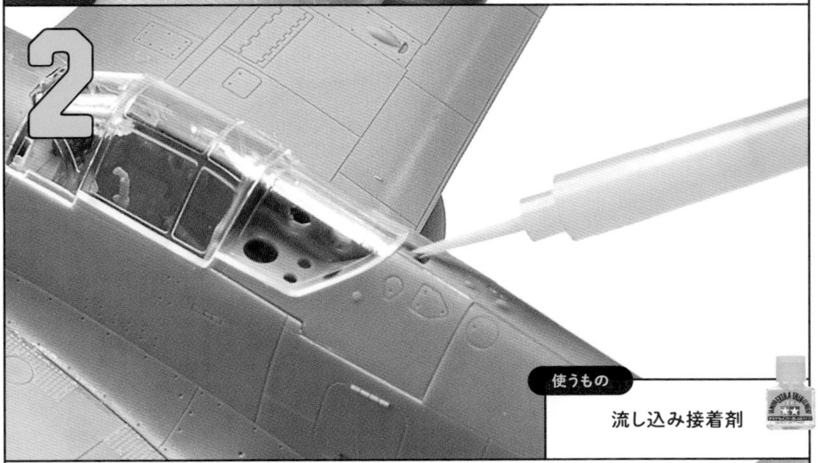

流し込み接着剤は慎重に!

クリアーパーツは流し込み接着剤で慎重に貼ろう！　接着剤の量は本当に少しでOK。流しすぎるとクリアーパーツが曇って汚くなってしまうよ

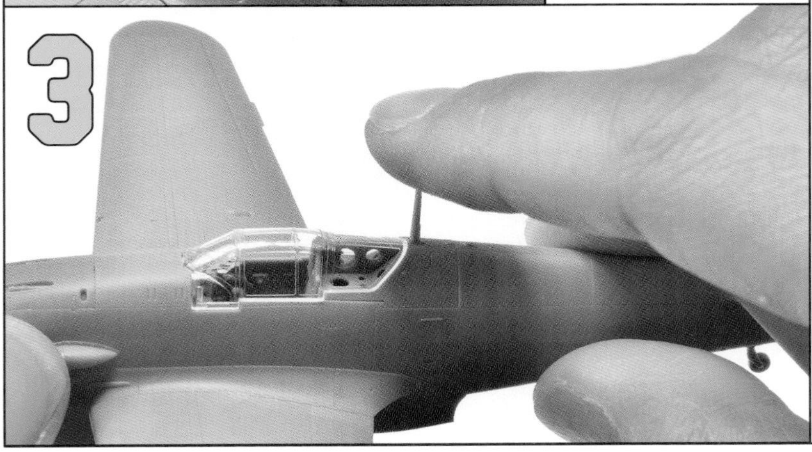

アンテナ支柱は貼ってからカット

アンテナ支柱をカットする仕様（初めにどちらかを選んで製作できるようになっているので説明書を確認しよう）を製作する時は、アンテナパーツを機体に接着してから、アンテナ支柱をカットする

STEP.10

透明なクリアパーツの取り扱いかた

前ページで接着したクリアーパーツ。クリアーパーツはカットする際は傷が付きやすいので慎重に行なおう。他のパーツよりも硬いので丁寧にカット。傷が入っちゃうと目立つので、ここは少しだけ気をつけようね

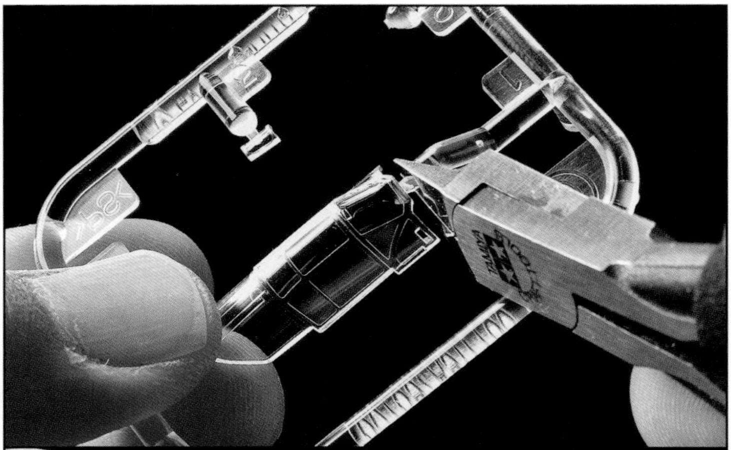

1 クリアーパーツの切り出し

ゲートギリギリでカットすると、パーツを傷つけてしまう危険がある。他のパーツ同様、ゲートを残し気味にしてカットしよう

使うもの

ニッパー

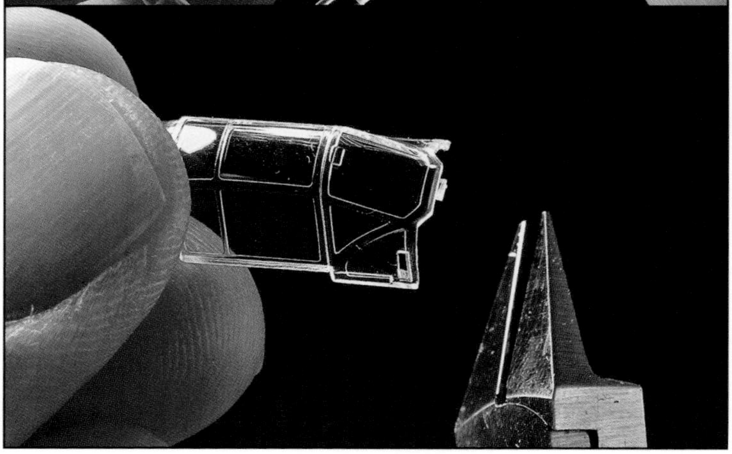

2 二度切りはとっても大事！ 仕上げはデザインナイフで行なおう

さらに慎重にいくなら、二度切りでも完全にゲートを除去せずに、このようにさらにゲートをうっすら残そう。最後はデザインナイフでカットすると、とてもキレイに切り出すことができるよ

クリアパーツはとっても繊細だから要注意！

クリアパーツが割れちゃった～（泣）

クリアーパーツは硬いので、つい力を入れてカットすると右の写真のようにバキッと割れることがある。クリアーパーツは修復が困難なので、割れるとメーカーにパーツ請求（メーカーに部品単位で有料でパーツを買うこと）することに……慎重に作業することに越したことはないよ

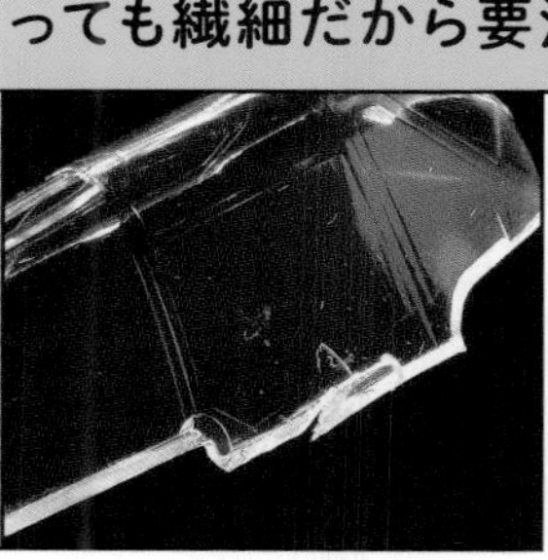

3

キャノピーの仮組は必須！

完成後に一番目がいくキャノピー部分。いきなり接着しようとしないで、しっかりと胴体パーツに合うか仮組みしよう。クリアパーツは透明なのでゲートが残っていたりしても見えにくい。それが原因でパーツがフィットしないこともあるよ

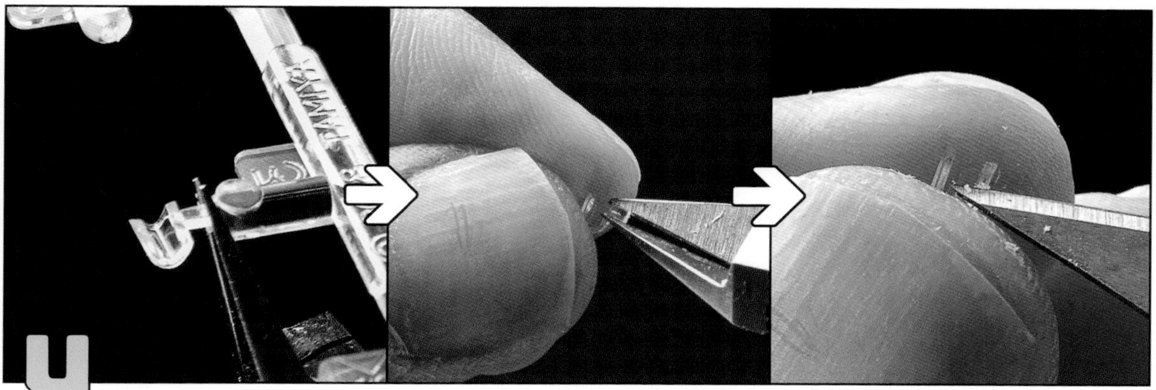

4

クリアーパーツのアンダーゲートカット

クリアーパーツにもアンダーゲートが存在する。飛燕の場合は、主翼にある着陸灯のカバーパーツに存在するので、ここも上の写真のようにゲートを残し気味にニッパーでカット→削ぐように残りのゲートを二度切り→デザインナイフで整える、という順番でキレイにカットしよう

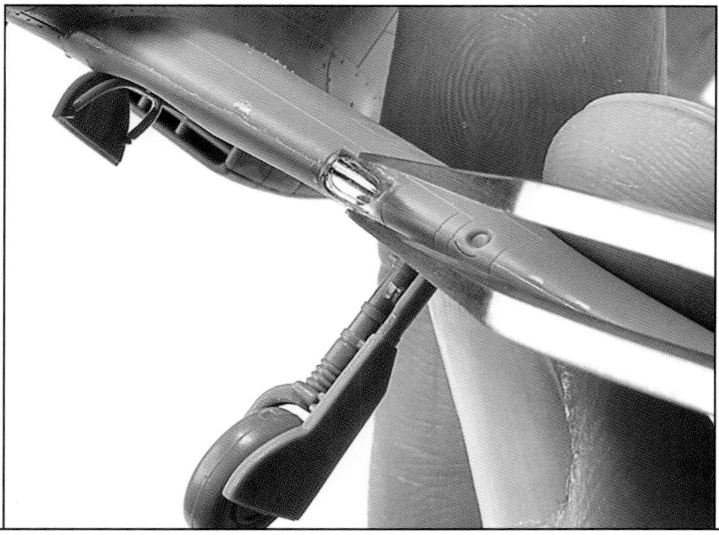

5

ピンセットを使用して丁寧に接着場所へ

小さいパーツなので、通常接着剤を少量付けた状態で、ピンセットを使い接着箇所に持っていこう！

使うもの

ピンセット

タミヤ 1/72 川崎 三式戦闘機 飛燕 組み立て完成！

ついに組み立てが完成！　色を塗らなくてもとてもかっこいいね。タミヤのこのキットは全体が非常にシャープな出来で、塗装せずとも組み立てるだけで迫力ある飛燕を楽しむことができるんだ。この状態でお部屋に飾ってみても、もちろんOK。模型は作る人によって違いが出るから（それがたとえ微少なものであったとしても）、同じ見た目のモノなんて世界にどこにも無い。だから、これは世界でたったひとつの飛燕なんだよ！

PLASTIC MODEL OF *jet fighter*

お次は最新鋭のジェット戦闘機なんていかが?

タミヤ1/72スケールの飛燕の組み立てができたなら、ジェット戦闘機のプラモデルも組み立てることが可能だぞ！　基本的な製作工程はほとんど同じで、昔の飛行機か最近の飛行機かの違いだけ。ジェット戦闘機のほとんどはレシプロ機と同スケールでもサイズが大きなものが多く、組み立てるだけで迫力満点。ミサイルなどの武装パーツもたくさんついて、とってもカッコいい。ぜひ気になったジェット戦闘機を組んでみてね！

F/A-18E スーパー ホーネット
（1/72　税込 2200円）
●ハセガワ　問ハセガワ

空の便利屋さんとして何でもこなしちゃう多用途戦闘攻撃機、「F/A-18E スーパーホーネット」。某ヒコーキ映画の主人公が乗ってた超有名機だから知ってる人も多いはず。今もアメリカ海軍で現役で使われている第一級の戦闘機だ

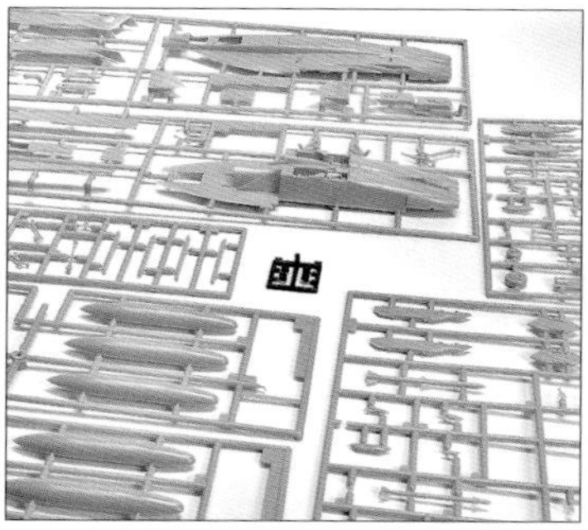

ボリューム満点!!

ジェット戦闘機のプラモデルはレシプロ機に比べて大きいから、パーツも多くて組みごたえもあるぞ！

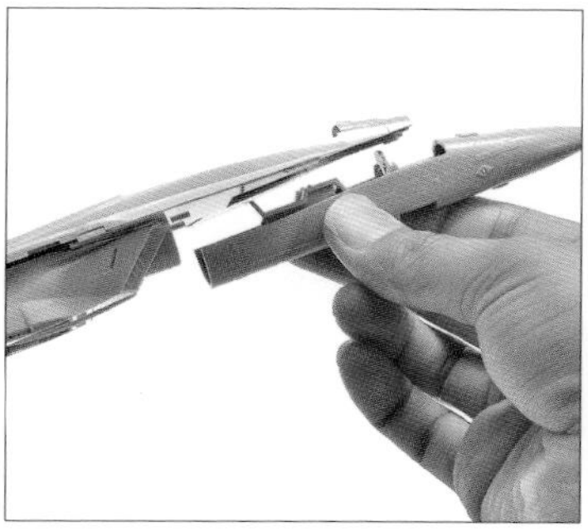

大きなパーツがガンガン組み上がる楽しさ!

ジェット戦闘機プラモデルの胴体や翼のパーツは大きくて、組み上がった時の迫力がすごい！

武装マシマシの大迫力!!

たくさんのミサイルや爆弾を装備できる機体が多いのもジェット機の特徴。模型でもバッチリ再現しよう

17:18
50%
INTERMISSION
よーし完成！　私にもヒコーキ模型、作れちゃった！　でもやっぱり色がないとちょっと寂しいかも……。箱に描いてある飛行機みたいに、キレイな色が塗れたら最高なんだけどなあ
お疲れさまでした！　ちゃんとカタチにできましたね～。ステップ通りに組み立てができたら、お次は塗装。色を塗るのにもいくつかコツがあるから、ゆっくり説明していきますよ～
TO BE CONTINUED
Aa

03

LET'S PAINT AN Aircraft MODEL!

第3章 ヒコーキモケイに色を塗ってみよう!

ついにヒコーキ模型に塗装してみるぞ!

組み立てられたら次は塗装だっ！

水性塗料の筆塗りで、
飛燕を塗装してみよう!!

飛燕を組み立てることができた後は
プラモデルのもうひとつのお楽しみ、「塗装」にチャレンジしてみよう！
準備やお片付けも簡単で匂いもマイルド、リビングでも塗装できる水性塗料の
「水性ホビーカラー」を使って筆塗りで仕上げてみるぞ
自分で塗装した模型はアナタにとって素敵なものになること間違いなし！

CHAPTER **03** ヒコーキモケイを塗装してみよう!!

TOOLS 筆塗り塗装で準備するもの

筆と塗料だけあればプラモデルは塗ることができるけど、ここではもう少しだけ準備してほしい、筆塗り塗装を楽しむための必須の5アイテムをご紹介。これら模型用の道具以外に、あとはお家にあるティッシュとかキッチンペーパーを準備すればすぐにでも筆塗りが楽しめるのだ！

水性ホビーカラー

水性ホビーカラー
(税込各 198 円)
● GSI クレオス　問 GSI クレオス

どこの模型店・量販店でも買えて、お値段もお手頃なGSIクレオスの水性ホビーカラーを使用。匂いも少ないので、リビングや自室でも塗装が楽しめるよ。塗料が乾く前なら水で筆を洗ったりできるぞ

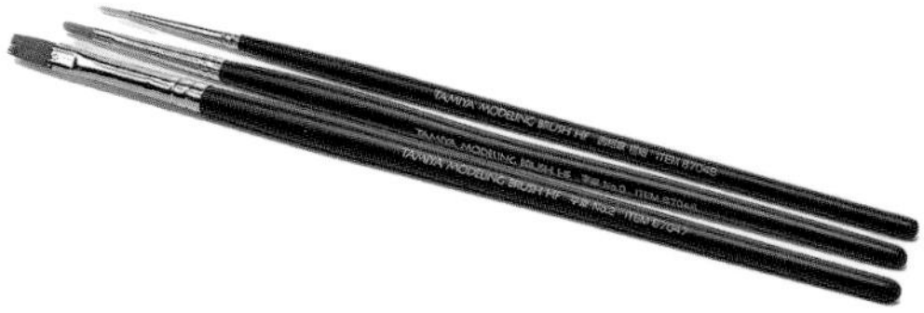

モデリングブラシ

モデリングブラシ HF スタンダードセット
(税込 770 円)
●タミヤ　問タミヤ・カスタマーサービス

超定番のタミヤ3本筆セット。あまりにも安すぎて「筆のクオリティ大丈夫なの!?」って心配になっちゃうかもしれないけど、大丈夫！　太い平筆、細い平筆、極細面相筆が入っている。各筆が汎用性のある筆ではなく、得意なことにスペックを全振りしているスペシャリストなのが特徴。3本を持ち替えながら塗っていくことでキレイに塗装することができる

塗料皿

Mr. 塗料皿
(税込 176 円)
● GSI クレオス　問 GSI クレオス

金属製の塗料皿。これに塗料やうすめ液を使う分だけ移す。絵具をパレットなどに移してから使用するように、プラモデルを塗る塗料もこちらの塗料皿に移して使用する。金属製の塗料皿は、使い終わった後のお掃除も楽で繰り返し使用できるよ

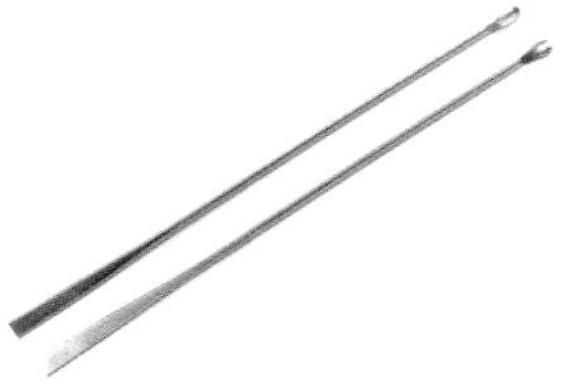

調色スティック

クラフトツールシリーズ No.17
調色スティック　(税込 440 円)
●タミヤ　問タミヤ・カスタマーサービス

塗料をしっかりと混ぜたり、塗料皿に移したりと、なにかと大活躍するのがこの調色スティック！　金属製のスティックが2本ついていて、棒の一方は攪拌用、反対側は塗料を少量すくうことができる調色用のスプーンになっている

うすめ液

水性ホビーカラー うすめ液（特大）
(税込 660 円)
● GSI クレオス　問 GSI クレオス

塗料を薄めたり、筆を洗ったりするのに必須！　水性ホビーカラーを薄めることができる専用の液体。これで薄めることで、様々な塗装表現ができるようになる。特大を1本買っておけば長期間安心だ

STEP.01

説明書の塗装指示を見つけよう!!

飛行機模型の説明書のなかには組み立て工程と共に、塗装指示も併記されている。初めて飛行機模型を作る人の多くが混乱する部分だけど、ここではタミヤの1/72飛燕の説明書を見ながら、実際に塗装指示を見ていこう

チェックポイントは３つ!!!

1. 説明書の最後にある塗装図
2. 製作パートに併記されている塗装指示
3. 使用カラーの一覧

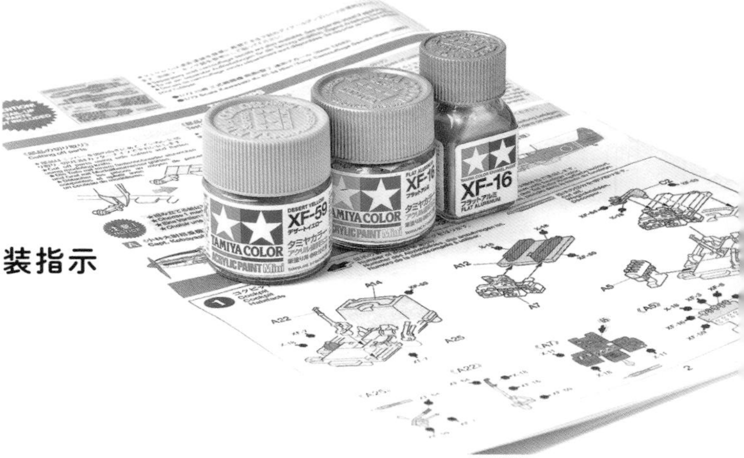

1 こちらが説明書のクライマックスに登場する塗装図

飛行機模型には、ひとつのプラモデルで複数のカラーを選択して作ることができるものがある。今回は一番左のAパターンで塗っていくぞ

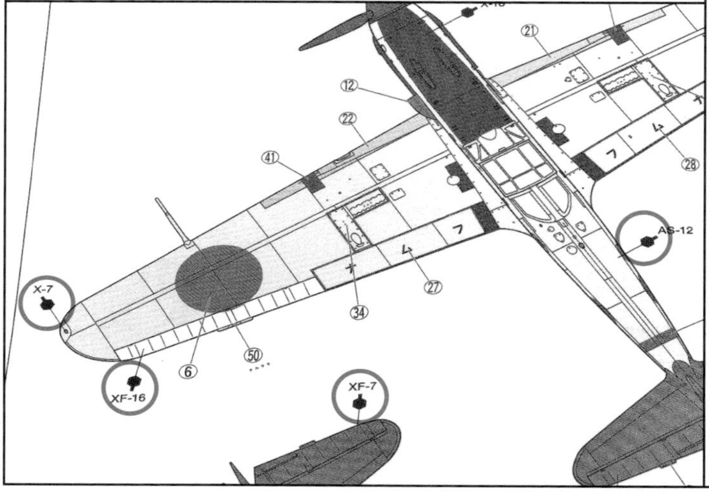

2 キノコのような⬢マークを見つけよう

塗装図に寄ってみよう。今回チェックするのはキノコのようなマークにXF-○と書かれた指示だけ。これが色を示しているマークだ。他の指示はいったん無視してOKだよ

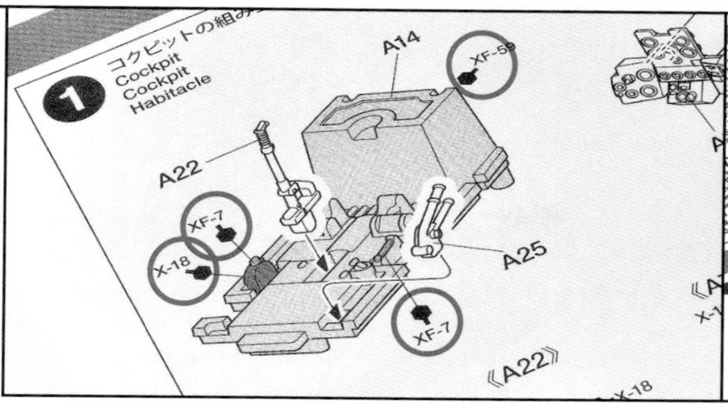

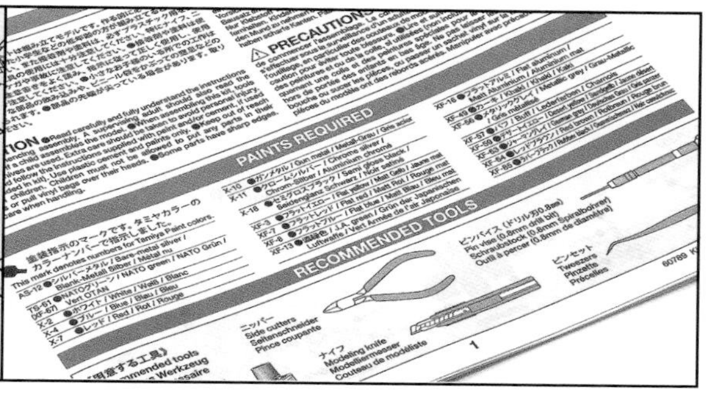

3 組み立てパートに戻ってみよう

組み立てパートにも同じような記号があったね。これも塗装指示。その理由は、飛行機模型は一度組んでしまうと塗りにくくなってしまう箇所があるから。だから先に塗ってから組んでいけるように、あらかじめ塗装指示が併記されているんだ

4 塗料の一覧は必ずチェック！色名が分かるよ

説明書のなかには、使用する塗料の一覧がまとめられているコーナーがある。ここは必ずチェックしよう。塗装指示ではアルファベットと数字でしか書かれてなかったものが、色名も表記されている。スマホで写真を撮っておくと、説明書をいったり来たりしなくて便利だよ

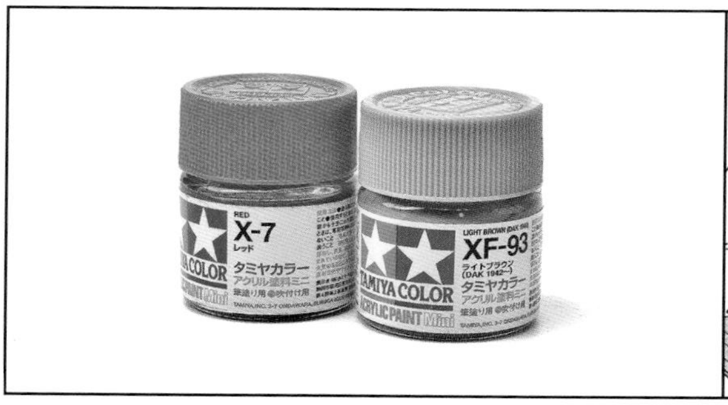

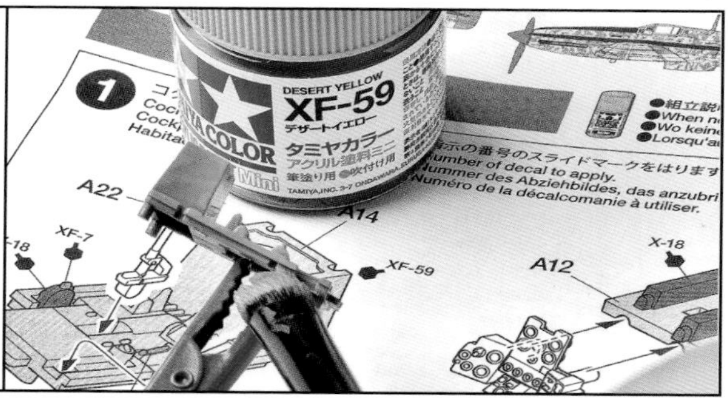

5 X や XF の正体はこちら

こちらが塗装指示の正体「タミヤカラー」。説明書の塗装指示のように「X」と「XF」の後に数字と色名が書いてあるのでここで色の名前をチェックしよう。ちなみに「X」がつや有り、「XF」がつや消しを意味するよ

6 書いてある塗料を見つけてきて塗ってみよう

コクピットのパーツにある「XF-59」の指示。塗料を探してみるとXF-59はデザートイエロー。この色でA14のパーツを塗装する。これでOK！

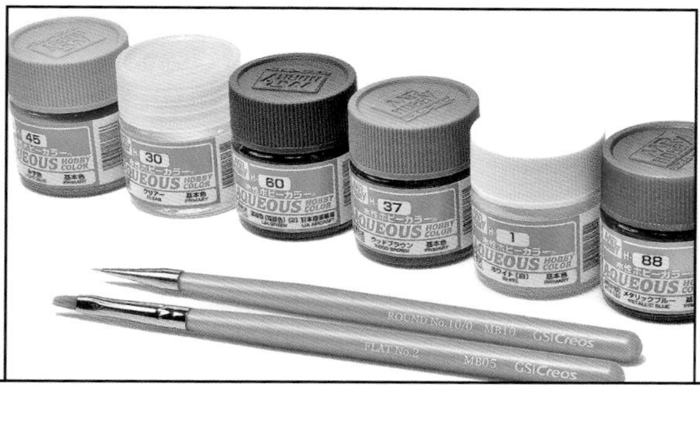

7 他の塗料でも大丈夫！似ている色を探そう

と、ここまで説明してきたタミヤカラーだけど、今回は水性ホビーカラー（GSIクレオス）で塗装するよ。タミヤカラーと似ている色（色の名前はほとんど一緒なのだ）を選べば大丈夫！

SELECTING *Paint*

塗料を選ぶってどういうこと?

あなたが好きな色味、買いやすいメーカーの塗料でOK!!

前ページで書いたように、説明書の色指定はタミヤカラーになっているんだけど、指定はあくまで目安。タミヤカラー以外でももちろんOK。本書では低臭で環境にも優しく、リビングや省スペースでも塗装を楽しめる「水性塗料の筆塗り」で飛燕を塗っていくぞ。その水性塗料の代表で、どこでも購入できるGSIクレオスの「水性ホビーカラー」と、タミヤが発売している「タミヤ アクリル」を例に、模型塗料を選び方を見ていこう

塗料の名前が同じ、もしくは似ている名前の塗料をチェックしてみる

指定塗料のカラーが売り切れなどで売っていない、もしくは違うメーカーで塗りたい時は、指定の塗料と同じ名前の色や、似ている名前の塗料を探してみるといいぞ

飛燕に使う赤を例に見ていくよ。水性ホビーカラーもタミヤアクリルもレッドと書いてある

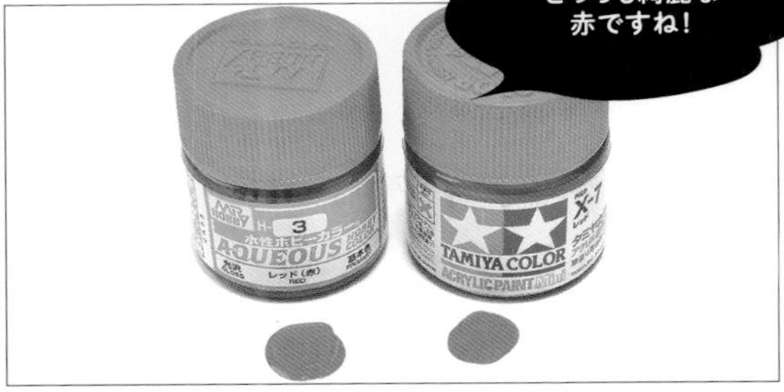

ほとんど色味が違わないから、色を基準にして塗料を選ぶなら、どちらを使っても問題なし！

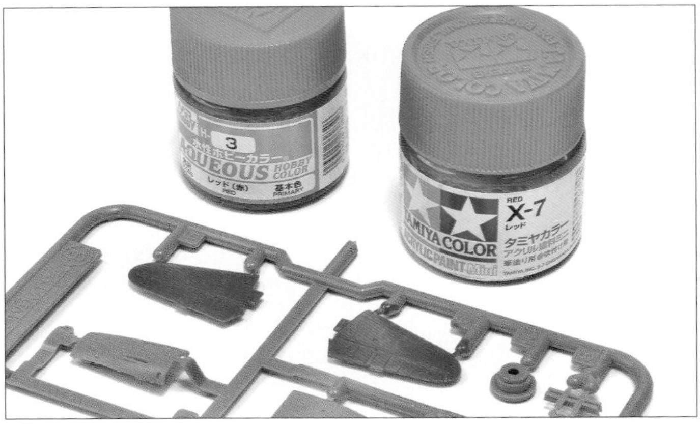

メーカーごとに異なる塗り心地は塗料選びの重要ポイント

色味と共に多くの人が塗料選びで重要視しているのが「塗りやすさ」。水性塗料なんだからどのメーカーも同じでしょ？　と思うかもしれないけど、各メーカーの塗料ごとに塗り心地がまったく異なるのだ！　塗料の伸び、乾燥時間、塗料のはがれにくさなどメーカーごとに違いがあるので、様々な塗料を使ってみて、自分の好みにあう塗料を選んでみよう

塗料は塗ってみて初めて分かる あなたの好みをゲットしてみよう！

説明書の色指定で、飛燕の銀は「タミヤの缶スプレーの銀」が指定されている。これは瓶の塗料には無い特別な色だから。瓶塗料を使って筆で塗りたいのに……。でも同じ銀であることに変わりはないので、先ほどお伝えした通り「シルバー」と言う名前が書いてある別塗料で塗ってしまってOK！　水性ホビーカラーは「シルバー」を、タミヤアクリルからは「クロームシルバー」を塗って比較してみた結果がこれ。どっちがいいかな～？？

蓋の色がまったく違うね。2色を比べてみると……なんだか色味は似ているぞ。どちらも誰が見ても銀！　実際にパーツに塗ってみるとどうかな？

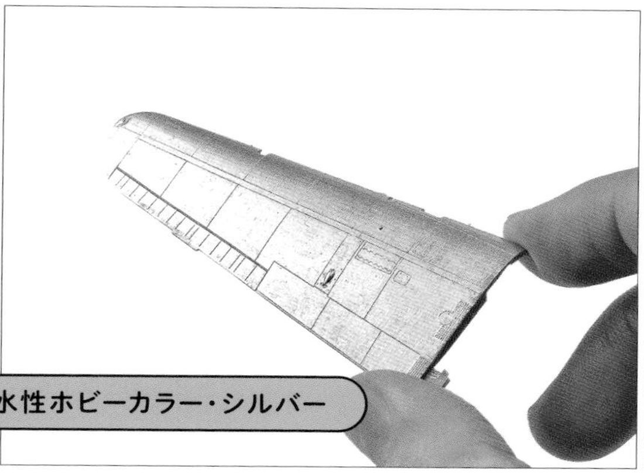

水性ホビーカラー・シルバー

光沢感が強く輝度が高い。軽さを感じる銀だね

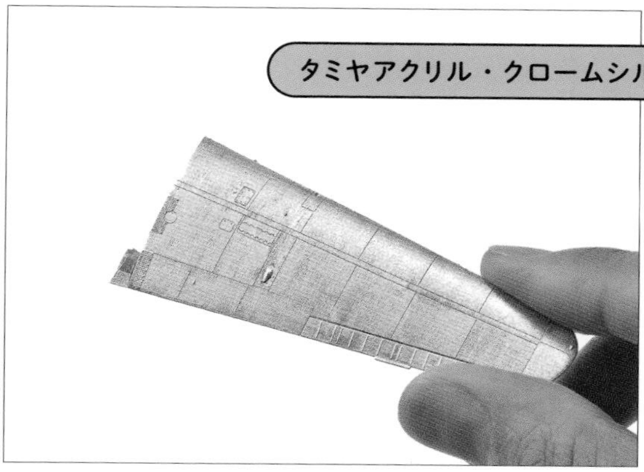

タミヤアクリル・クロームシルバー

少しざらっとした重厚感のある銀に仕上がる。輝度も抑えめで、使い込まれた戦闘機の銀にぴったりな感じ

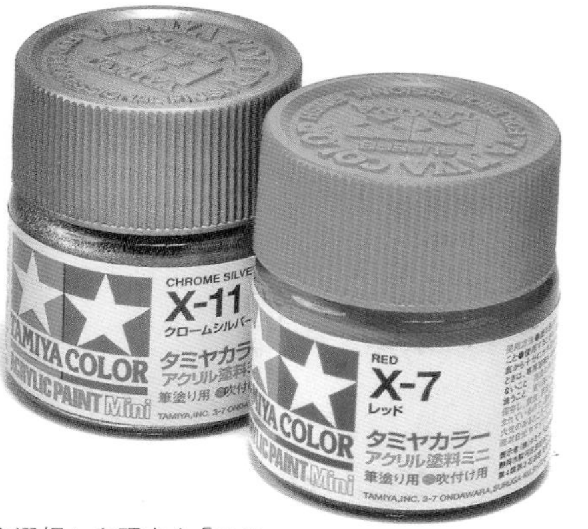

塗ってみると同じシルバーでも印象が違うね。塗料はやはり実際に使って見ないと分からない。塗ってみて自分の好みに合ったら、指定色は気にせず、アナタの好きなメーカーのカラーで塗装してまったく問題なし。本書で水性ホビーカラーを選択した理由も「このシルバーの色味と質感が飛燕のイメージにぴったりだな」と思ったから。このように塗料選びも模型の醍醐味のひとつ。ぜひ各メーカーの塗料を買って試してみてね

迷ったらお店の人に聞いてみよう！

STEP.02

いきなり塗料をつけない！筆のウォーミングアップをしよう

買ってきたばかりの筆はまだ塗料を受け入れる準備ができてない。準備運動なしにスポーツをするとケガをしちゃうように筆にも準備運動が必須なんだね。これを行なえばとっても塗りやすくなるのでぜひ覚えておこう

1 どんな準備をするんだろう？

買ってきたばかりの筆には、穂先にノリが付いていたりすることもあり、いきなり塗料をつけるのは危険！

2 水性ホビーカラーうすめ液を準備

筆のウォーミングアップをサポートしてくれるのが水性ホビーカラーのうすめ液。これを100円ショップなどに売っているスポイトで適量取る

3 塗料皿にうすめ液を移そう

水性ホビーカラーうすめ液を使用する分だけ塗料皿に移そう。塗料皿の半分くらいまで注げば、しっかりと筆が浸かってくれるよ

4 たっぷりと筆にうすめ液を含ませよう

筆にノリが付いていたら、この段階で筆をシャバシャバと洗ってOK！　洗ったら一度ペーパータオルで拭いてから、再度うすめ液を筆にたっぷりと含ませよう

5 ペーパータオルにチョンと筆先を置こう

たっぷりとうすめ液を筆に含ませたら、ペーパータオルに筆先をチョンと置いてうすめ液の量を調整する。たっぷり含んだままだと、塗料がビシャビシャに薄まってしまうからね

6 塗料を含ませよう

筆にうすめ液を含ませた状態で、やっと塗料とご対面。筆先に塗料を含ませよう。筆のなかに溜まったうすめ液は、ポンプのようにどんどん塗料を排出してくれるから、滑らかに筆塗りができるようになる。塗料をつけたら、筆先の塗料だけペーパーで拭っておこう。意外と大量の塗料が筆先には含まれているので、この段階で余分な塗料をいったん紙に吸わせておくとベストだ

筆先の塗料を少し拭うのがポイント！

STEP.03

塗料はしっかりと攪拌して使おう!!

前のページの筆のウォーミングアップと共に覚えたいのが塗料の使い方。「蓋を開ければ塗れるんでしょ？」って思うよね？まずは絶対に忘れちゃいけない工程があって、それが塗料の「攪拌」だ。コーヒーに砂糖やミルクを入れたらなかで均等になるようにスプーンでかき回す、あれと同じことをやるよ！

僕たちのスペックを
最大限引き出してね！

1 調色スティックでしっかりと混ぜるよ

タミヤの調色スティックは塗料の攪拌のベストパートナー。何本あっても無駄にならない便利アイテムだ。金属製だから塗料が付いても簡単に拭くことができて、何度も繰り返し使うことができるんだ。これを使ってしっかりと塗料を混ぜていこう

とっても大事なこと
だから覚えてね～

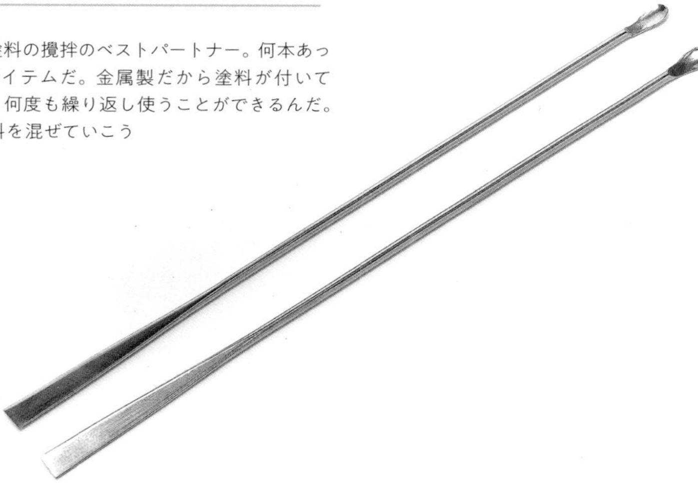

なんで塗料を混ぜなきゃいけないの？

隣のページでも解説するけど、塗料は一定期間放置されると樹脂や顔料の成分が沈殿し、溶剤成分と分離する。出荷されてからお店に置かれて、みんなに買ってもらうのを待っている間に分離してしまうんだね。これはしっかりと混ぜれば色味にはなんら影響はないのであしからず。ただし、分離した状態を戻すためにしっかりと混ぜる必要があるんだ

2 水性ホビーカラーの上澄みは独特の濁りがあるよ

水性ホビーカラーは無色透明のクリアカラー系の塗料でも、上澄みが濁っているのが特徴。しっかりと混ぜれば透明になる。通常の塗料もこのように上澄みが濁っているよ

3 濁りが無くなるまで混ぜよう

この上澄みの濁りが無くなるまでしっかりと混ぜるのがポイント。塗料に混ぜすぎということはないので、しっかりと攪拌していこう。底に溜まった塗料があったら、棒の先でやさしくひっかくようにして混ぜていくといいよ

4 滑らかになりました！

ご覧の通り上澄みの濁りが無くなった！　これで塗料の力がフルに発揮できるよ

5 塗料は塗料皿に移して使おう

しっかりと攪拌できた塗料は、使いたい分だけ塗料皿に移そう。調色スティックの先で塗料をすくってお皿に移してあげよう

STEP.04

コクピットと機体内部の塗装

ついにパーツに色を塗っていくぞ。飛行機模型は一番最初にコクピットや機体の内部を塗っていくことが多い。その理由は、組んでからだと塗りにくくなるから。コクピットの大きなパーツはランナーから切ってから塗装してもOKだけど、細かいパーツはランナーに付いた状態で塗装した方が塗りやすいぞ。胴体パーツは左右貼り合わせてしまうと、機体内部に筆が入らなくなってしまうので、塗装してから貼り合わせるようにしよう

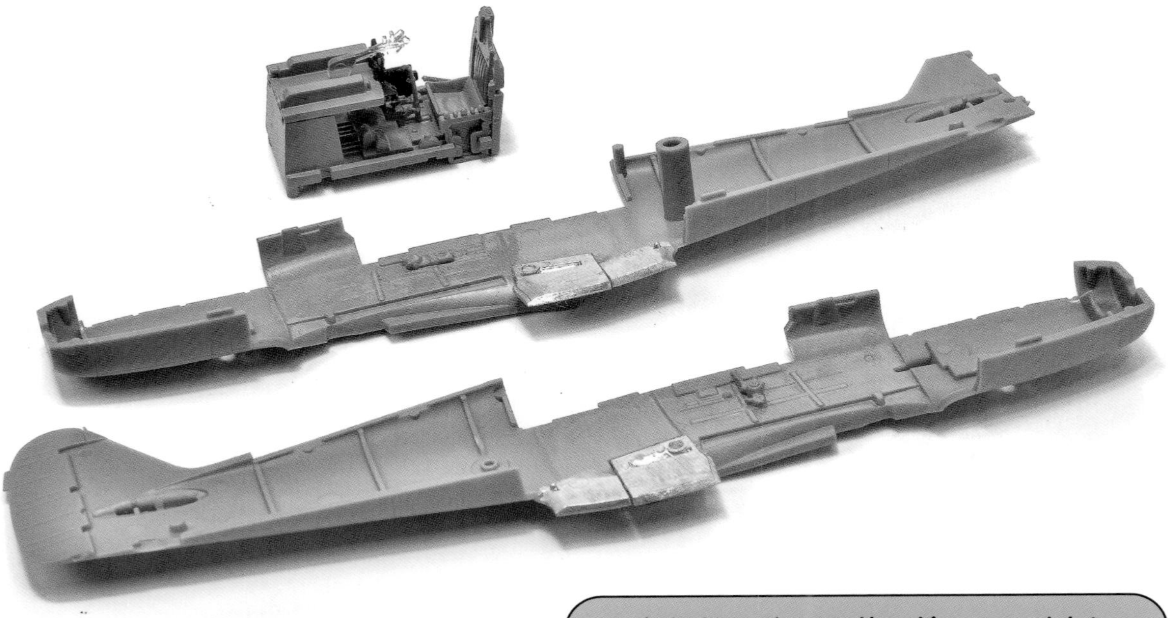

全部組み立てる前に塗っていくよ!

組み立てパートの塗装指示

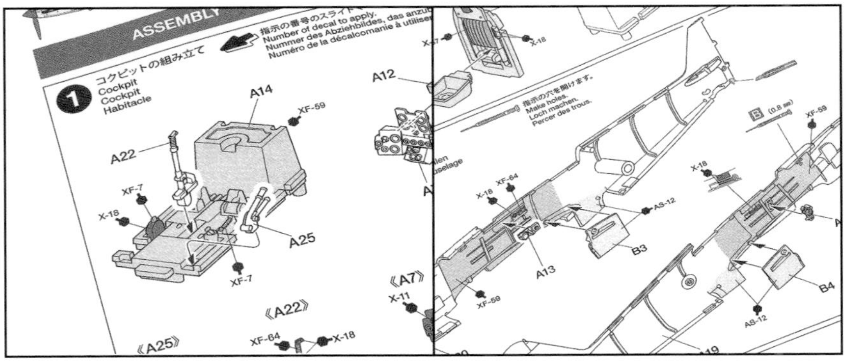

コクピットの周辺にある小さな塗装指示マークを確認して何色で塗るのか確認しよう。また機体内部の塗装箇所は、説明書のイラストでは網掛けになって示されるぞ

STEP.05

コクピットの塗装にチャレンジ

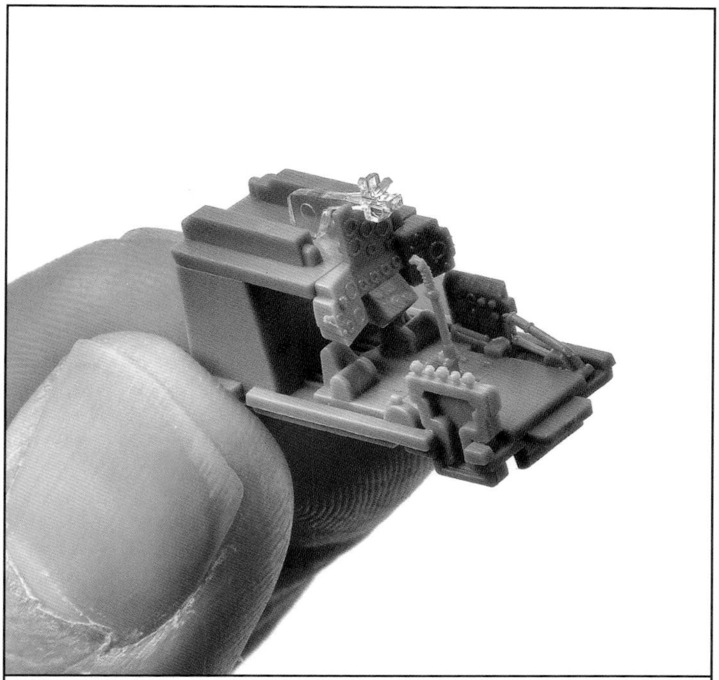

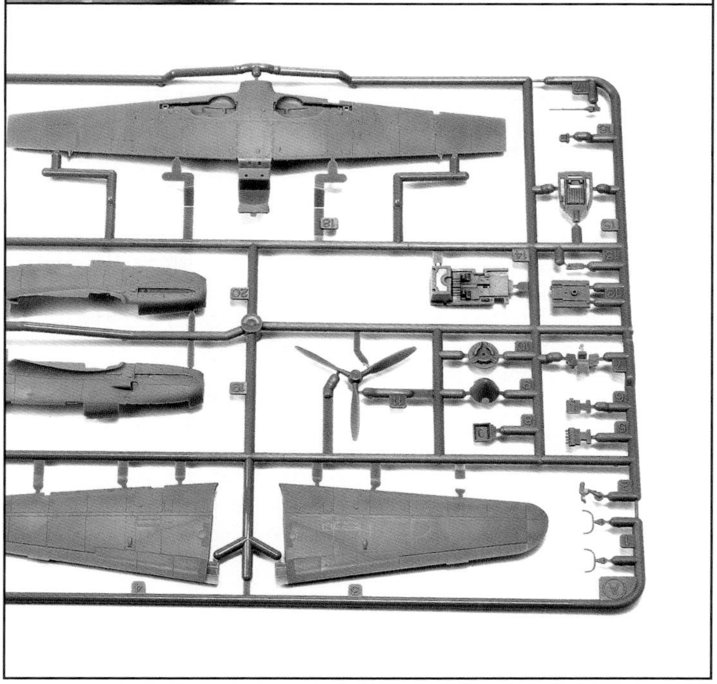

1 組んだ状態の物を見てみよう

こちらの写真は第2章で組み立てたコクピットの一部。細かなパーツがたくさん接着されて、ひとつの形になっているね。この状態で塗っていくと、違う色で塗るパーツに触れたりして塗料がはみ出てしまったりする。だから組む前に塗装しちゃう方が何倍も簡単なんだ！

2 ランナーについているコクピットのパーツを見てみよう

コクピット関係のパーツは、ランナーのなかでも大体同じ場所にまとまっている。ニッパーで切り出してから塗った方が良いか、ランナーに付いた状態で塗った方が良いかをパーツごとに見極めよう。見極めるポイントはパーツのサイズ。大きなサイズのパーツはカットして塗装すると後々効率が良い。小さいパーツはランナーが持ち手代わりになるので、ランナーに付いた状態の方が断然塗りやすいよ

STEP.06

完成後あまり見えなくなるコクピットは大胆に塗装して、筆塗りの感覚を掴もう!

コクピットは完成後ほとんど見えなくなってしまう場所。今回は細かい塗り分けはせずに、各パーツのメインカラーを塗ってみよう。多少雑になってしまっても大丈夫だよ

1 飛燕のコクピットのメインカラー

コクピットの床板になるパーツは、大きなパーツなのでランナーから切り離してからでも塗りやすい。ランナーに付いたままで塗装する時のデメリットが、塗装後にカットしたゲート部分をもう一度塗る「リタッチ」をしなければいけないこと。ランナーから切り離しても塗りやすいパーツは、このリタッチの手間を省くためにパーツをカットしてから塗装した方がいいよ

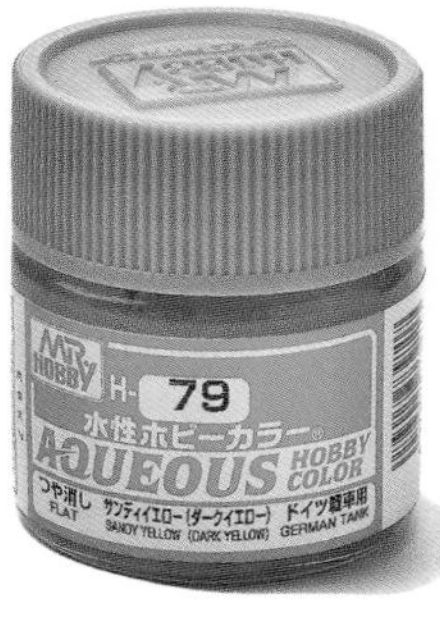

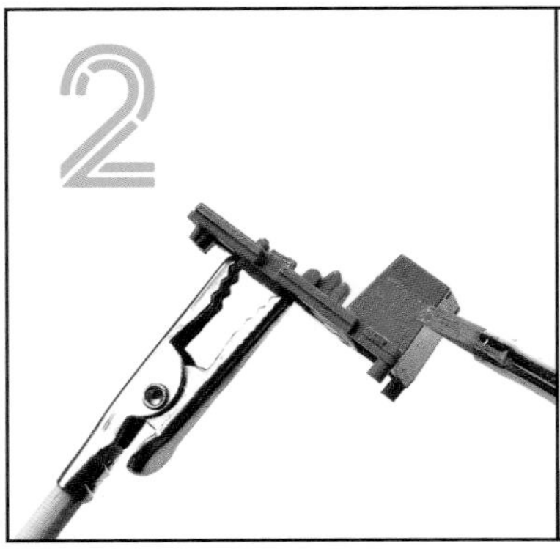

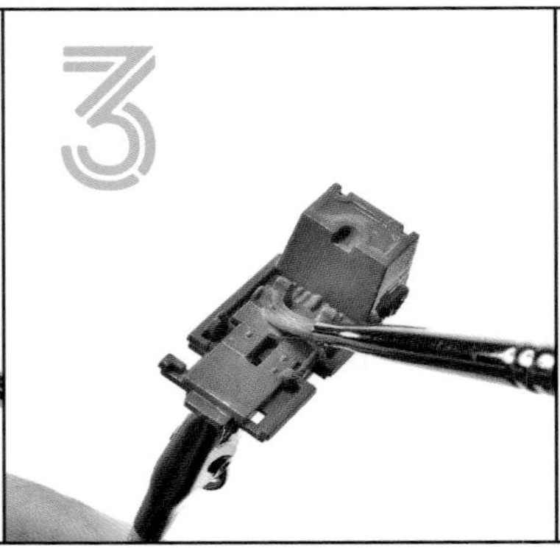

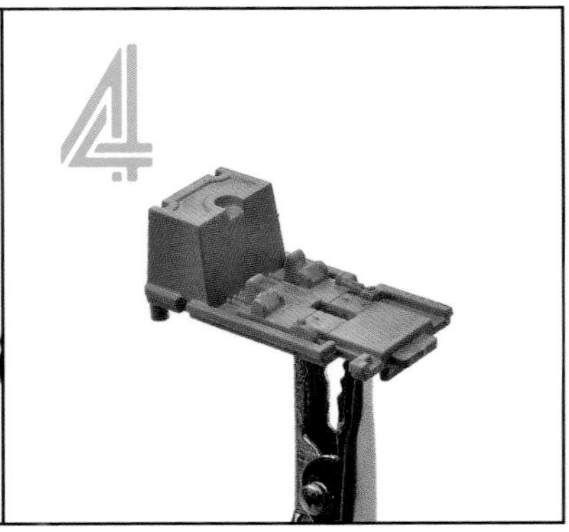

2 塗料の準備をしっかりしてから塗り始めよう

68~69ページで紹介している筆のウォーミングアップをしっかり行なってから、パーツの塗装に移る。パーツは手で持っても良いけど、クリップやツマヨウジにテープを貼ったものを持ち手にするとやりやすいぞ。模型用の専用持ち手も発売されてるのでそちらを購入するのもオススメ

3 奥まった部分を先に塗る

パーツの角や、ディテールが入り組んでいる部分は塗料が入りにくい。だから最初にピンポイントで奥まった部分を先に塗り込む。そうすると綺麗に塗り上げられ、また塗り忘れもしにくくなるよ

4 完全に乾燥したらもう一度塗ろう

一度全体を塗装したら、一旦完全乾燥させる。乾いてないのに塗料を塗り重ねると、乾いてない塗料がぐちゃぐちゃになってしまい、汚くなってしまうぞ。じっくり乾燥を待って、乾いたら再度塗り重ねよう

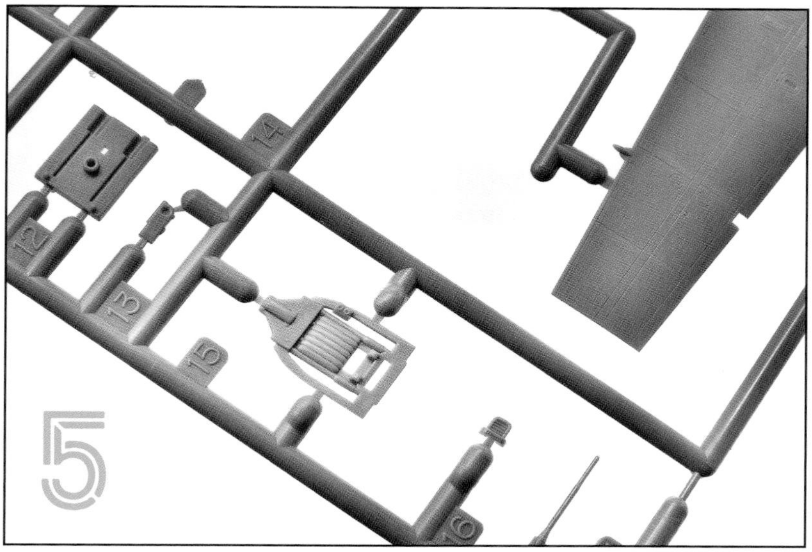

コクピット内の小物は
同じ色の物を効率よく
塗っていこう！

サンディイエローで塗装できるものはどんどん塗ろう

左ページのコクピットの床と同じ、サンディイエローの細部パーツを優先的に塗ろう。そうすれば筆を洗う手間も省けるし、効率よく塗装が進むよ

1回目の塗装は下地のグレーが透けていてもOK

背もたれパーツを塗装する。まずはパーツの奥まったところから塗装。その後全体を一気に塗ってしまおう！ プラスチックのグレーの色が透けていても大丈夫だよ。まずは全体に薄くサンディイエローを塗ろう。そして塗料が完全乾燥するまで待つこと

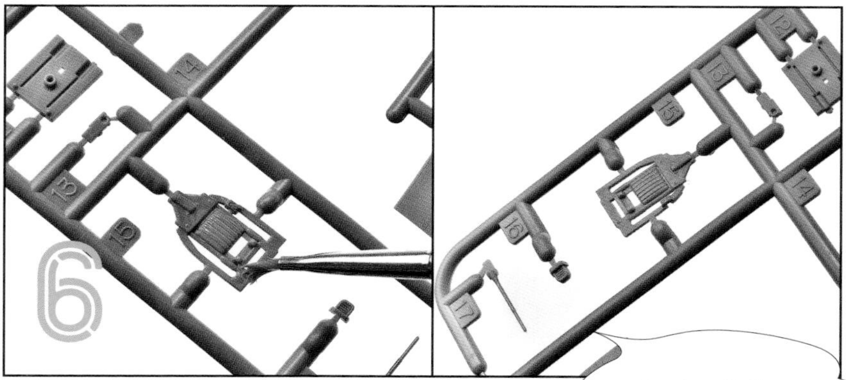

ランナーごと持って
パーツを塗装すれば
手が汚れない！

7

塗料が乾いたら、2回目を塗って完成！

塗料が乾いたのを確認したら、先ほどと同じ手順でもう一度塗る。そうすると下地のグレーもほとんど透けてこなくなるぞ。これで塗装完了だ！

STEP.07

塗る色を変えるときは、しっかりと筆を洗おう！

ひとつの色を塗り終えてカラーをチェンジする時は、前に塗っていた色が混ざらないようにしっかりと筆を洗おう。
塗装中でも筆に含んでいる塗料が乾いてきたら、一旦筆を洗った方が良い。ここでは筆の洗い方を見てみよう

1 筆に塗料がしっかりと残ってますね

塗装を終えたばかりの筆をアップで見てみると筆にたくさん塗料が残っている。これだと次の色は塗れないし、このまま乾いたら筆の傷みの原因にもなってしまうんだ。さっそく筆を洗ってみよう！

2 水性ホビーカラー専用うすめ液で筆を洗うよ

塗料皿に、水性ホビーカラーのうすめ液を移そう。筆がしっかりと浸るくらいの量を入れるのがポイントだ。塗料皿のなかに筆を入れて、じゃぶじゃぶ洗う。筆のなかの塗料をうすめ液のなかに溶かしていこう

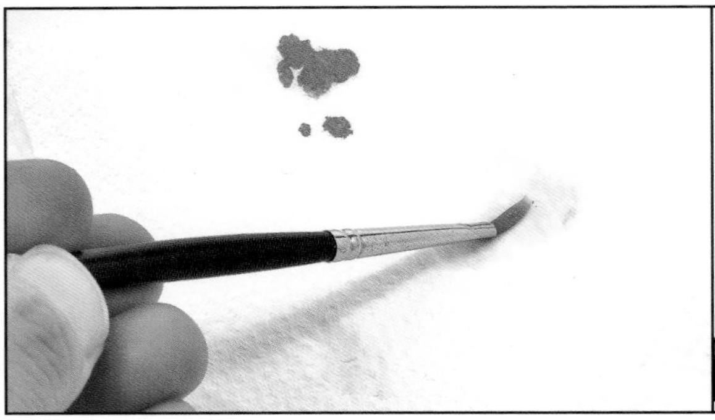

3 ペーパータオルの上で筆をポンポン叩こう

すすぎ終えたら筆先でペーパータオルをポンポンと叩くようにして、余計なうすめ液を拭き取る。ポンポンと叩くことによって、筆の奥にまで入った塗料を外に排出させるんだ。この工程を数回繰り返してペーパータオルに色が付かなくなったらOK

4 筆洗い完了！

とっても筆がキレイになったね！　これで次の色を塗ることができる。また、塗装中であっても筆にふくまれた塗料は乾燥していく。数か所塗ったら一度うすめ液ですすぐ、ということを小まめになやると、筆も長持ちするぞ

STEP.08

黒を塗ろう!

筆を洗い終えたら、お次は黒で塗るパーツの塗装だ。
計器盤やスイッチ関係の基部などが黒で、小さいパーツが多い

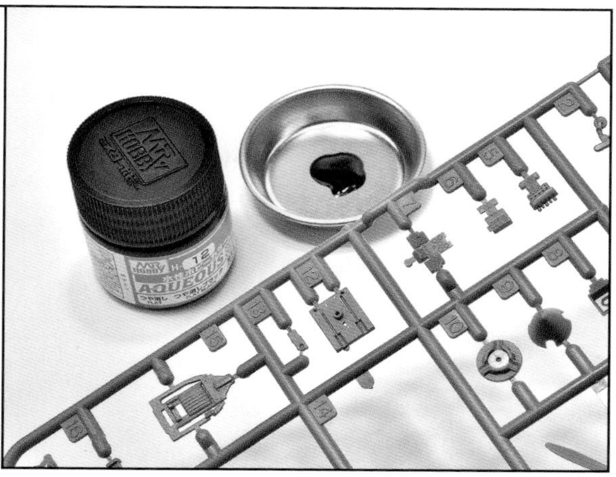

1 塗料皿に黒を移してから塗装しよう!

黒で塗るパーツの確認をしたら、塗料皿に黒を移して塗装開始!

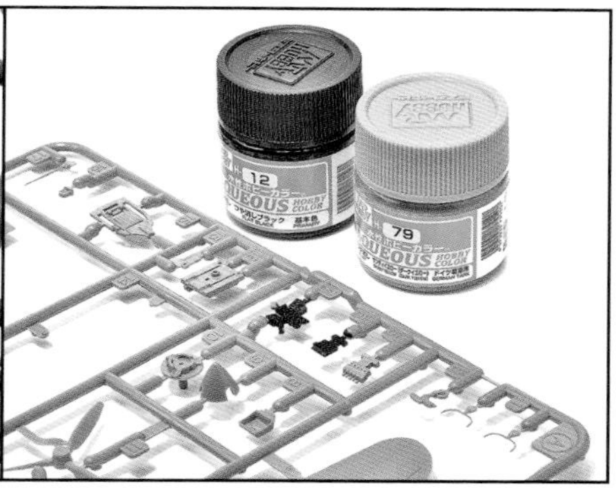

左:黒で塗るパーツは小さいものが多い。だからランナーに付いたままの状態で塗っていく。一度目は下地が透けてもいいので、まずは全体に色を塗る完全に乾いてからもう一度塗ると、ムラや厚塗りが少なくキレイに塗装できる

右:コクピットパーツの塗り分けが終わったら組み立てだ!

2 ランナーを持ち手にして塗っていこう

3 コクピットのパーツが塗り終わった!

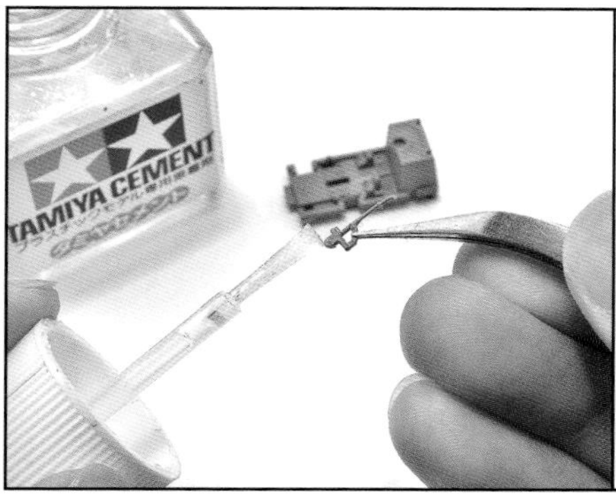

左:組み立ての際、塗装した箇所に接着剤を塗ると塗料が溶けてしまう。だからダボ(接着のためのでっぱり)だけに塗るように心がけよう。流し込み接着剤を使う時も、大量に接着剤を流し込むと塗料がべろべろと溶け出して汚くなってしまうので注意

右:コクピットの完成。細部の塗装はせず、サンディイエローと黒の2色のメインカラーを塗るだけでも、これだけ見映えが良くなる。完成後もちらりと見えるだけだから、これだけ塗り分けられていれば充分かっこよく見えるよ

4 接着剤の付け過ぎには要注意

5 コクピットの塗装&組み立て完了

STEP.09

胴体の内側の塗装

コクピットに続いて、組み立てる前に塗っておきたい胴体内側の塗装にチャレンジしよう！　説明書では塗る箇所を網掛けにして指示されているので、この表示とパーツを実際に見比べて、塗る箇所を事前に確認しておくと失敗しないよ

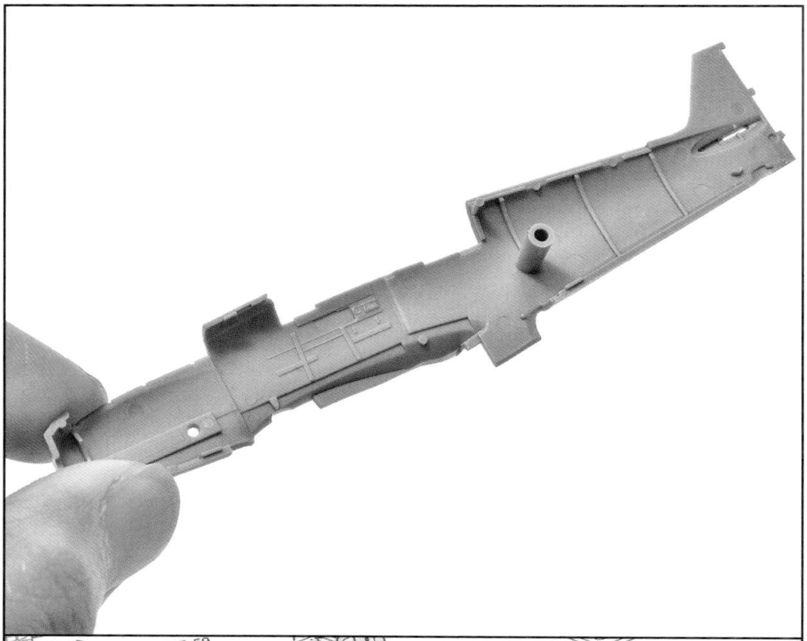

1 コクピットが収まる場所の周辺を塗ろう

コクピットが収まる周辺を塗っていく。こちらも完成後は目立たないから、筆ムラがあっても問題無し！　なんとなく色が塗られているレベルで充分だ

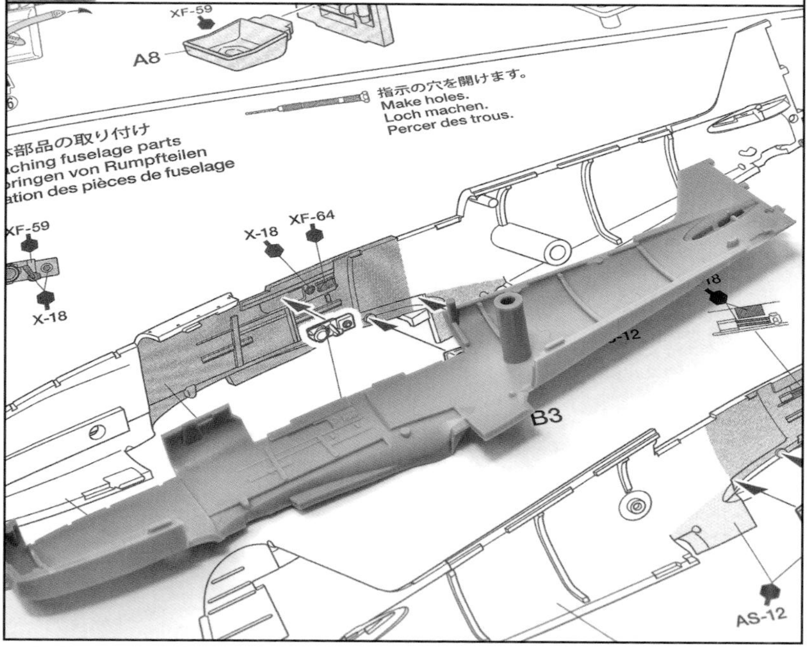

2 説明書の脇にパーツを置いてイメトレだ

塗る場所を正確に把握するには、パーツをイラストの脇に置いてみるのが一番。これで胴体内部のどこを塗るかわかったね！　細部の塗装指示もあるけど、今回はメインカラーのサンディイエローとシルバーのところだけ塗っていくぞ

3 3本セットの一番太い平筆で一気に塗ろう!

胴体内部は塗る面積が広い。そこで今回使用しているタミヤ モデリングブラシ HFスタンダードセットのなかから、一番太い平筆をチョイス

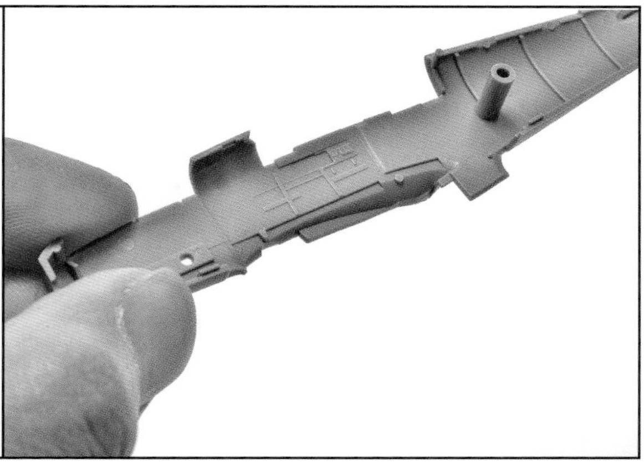

4 壁面に計器のようなものがあるね

説明書に指示されていた細かい塗り分け指示の正体が、このような壁面の計器類などのディテール。今回は胴体内部を一色で塗りつぶすので、塗り分けはしなくても大丈夫

躊躇せずにストロークを長くして一気に塗ろう!

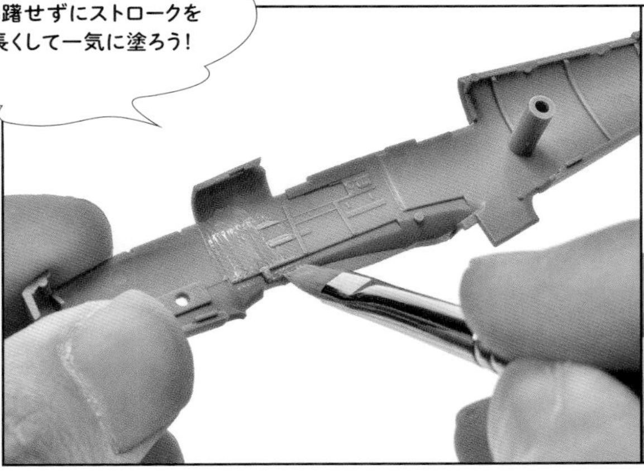

5 まずは全体を一気に塗ってしまおう

広い面積の筆塗りだけど、胴体内部は完成後も目立たないから練習のつもりでリラックスして塗っていこう。濃い目の塗料を一気に塗るのではなくまずは少しだけうすめ液で薄めた塗料で全体を塗ってしまおう

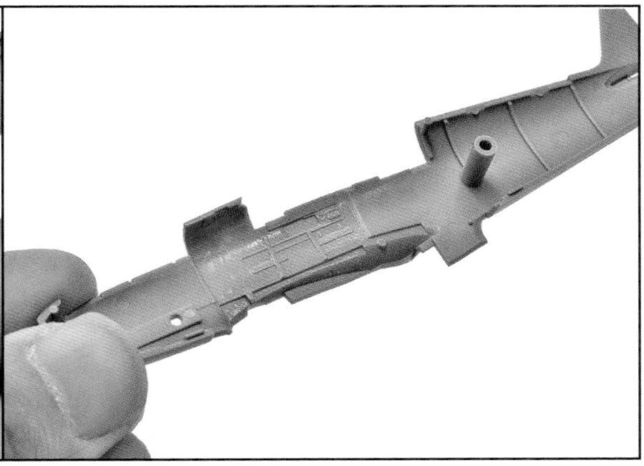

6 下地が透けてて問題無し 1回目は薄く塗り広げよう

筆塗りは一度塗って、乾燥後にもう一度塗るということを徹底すると、一気にキレイに塗ることができるようになる。下地が透けるくらいで全体をひとまず塗ってしまうのが大事だ

STEP.10

塗料が乾く間に反対側も塗ろう!

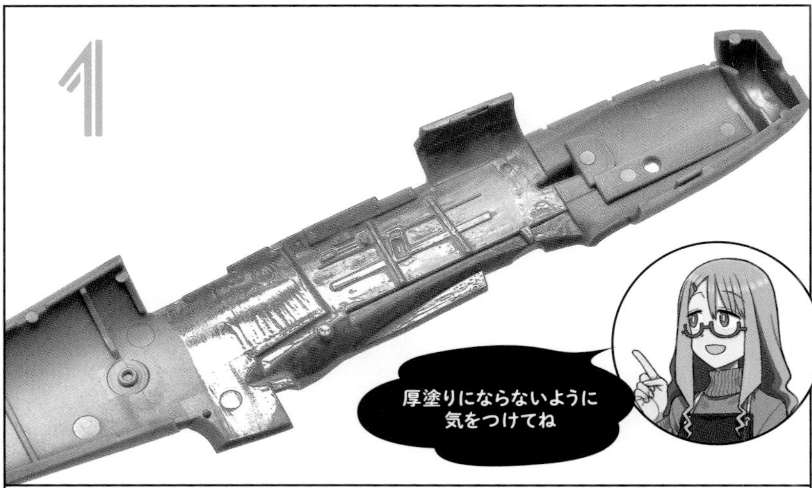

ディテールが多いから厚塗りに注意しよう

反対側の胴体内部も塗っていこう。塗料を一気に塗るとディテールに大量の塗料が溜まってボテっとした印象になってしまう。コクピットを塗った時みたいに、先にディテールのキワなどを塗っておくといいよ

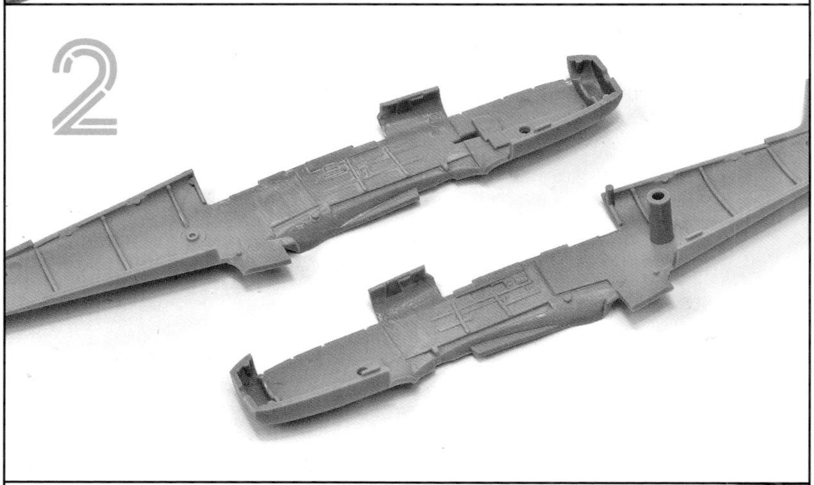

ツヤが消えたら乾いた合図

両方の胴体内部に塗ったサンディイエローのツヤが消えたら、塗料が乾いた合図。もう一度、塗り重ねよう

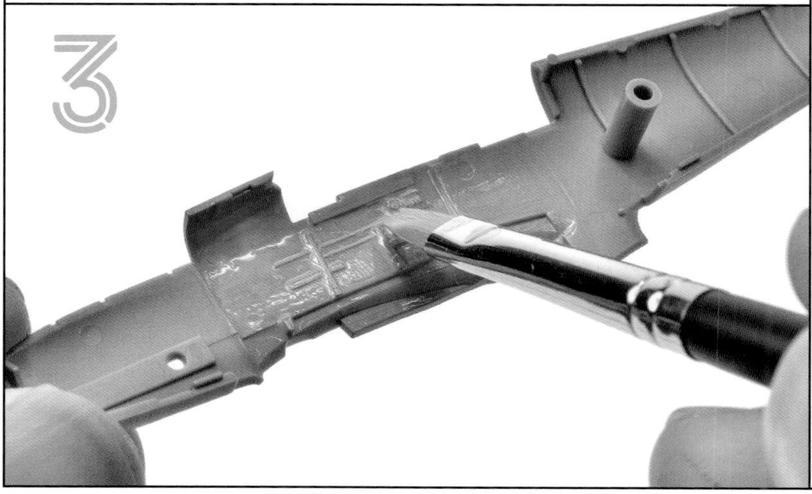

再度塗って整えよう

1回目を塗った時と同様に再度胴体内部を塗ってあげよう。プラスチックのグレーの色が見えなくなればしっかりと塗れた証拠。そしたら完全に乾くまでそっとしておこう

4

胴体内部の銀塗装も忘れずに！

飛燕の胴体内部にはヒレのように出っ張った部分がある。ここはお腹の下のエアインテークが収まる場所。ここの指定色が「銀」なので塗り忘れに注意したい

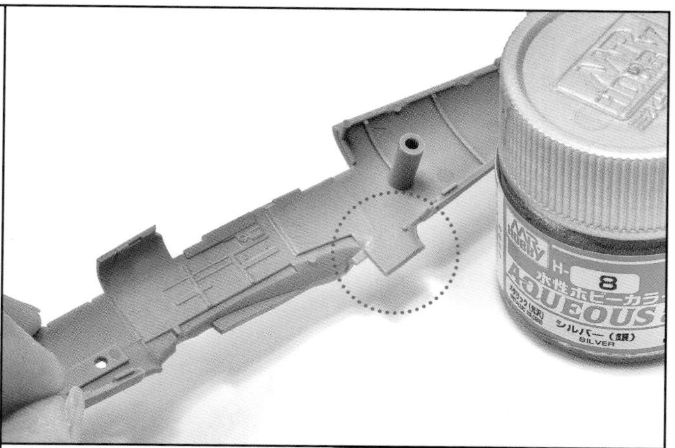

5

メタリック塗料はいつもより長く混ぜよう

メタリック（金属調）カラーはしっかりと混ぜることで粒子も滑らかになる。ちょっと腕が疲れるかもしれないけど瓶のなかの塗料が滑らかになるまでしっかりと混ぜよう

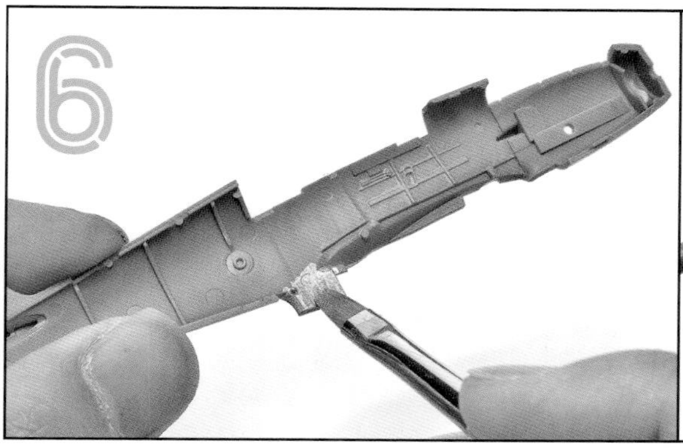

6

平筆で一気に塗ろう

このくらいの狭い面積なら、一気に塗ってしまってOK。乾いたら、もう一度塗り重ねて、しっかりと銀を発色させようね

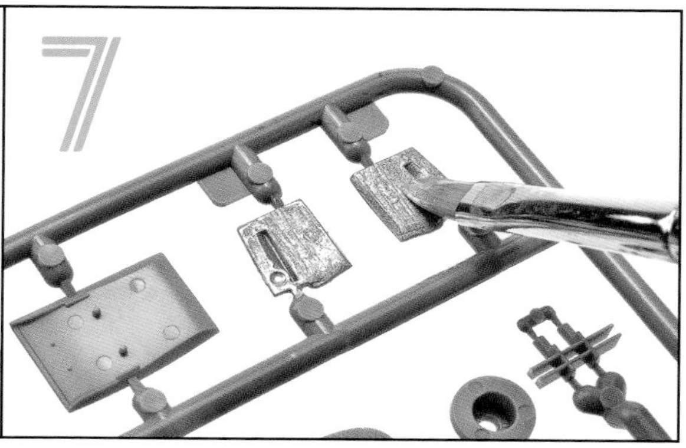

7

エアインテークパーツが別ランナーにあるぞ！

飛燕のお腹の下にあるエアインテークのパーツは、胴体とは異なるランナーにあるので見逃さないように！　ランナーに付いた状態で塗ってしまおう

STEP.11

胴体パネルと機首上面パネルは組み立て前に塗っちゃおう!

タミヤの飛燕は組み立て＆塗装が楽になるように、コクピット背面の胴体パネルと機首上面のパネルが別パーツになっている。このパーツは塗装してから組み立てるとすごく楽なのでぜひ組む前に塗装しよう

こちらが胴体パネル

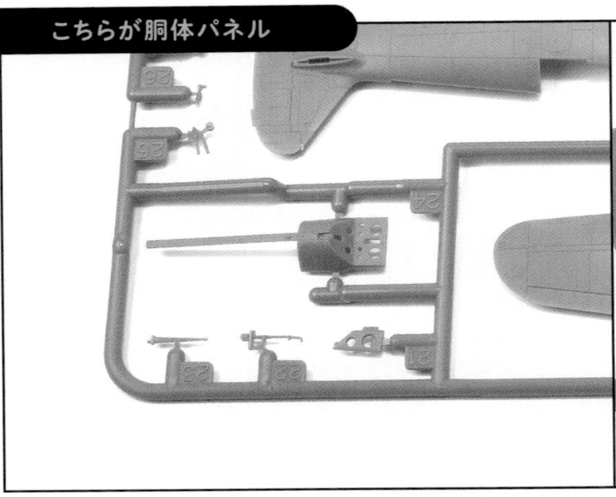

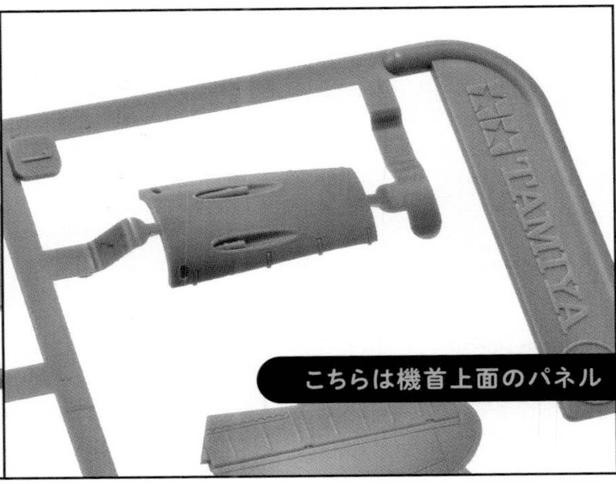

こちらは機首上面のパネル

両パーツとも別パーツになっているので、ランナーのまま塗ってしまえば他の部分に塗料がはみ出る心配もなく、気軽に塗装ができる

まだ接着するのはガマンです!

説明書では5番目の工程で接着することになっているけど、一旦ガマン。ここではまだ接着しない。全パーツ塗装が終わって最後の組み立ての時に胴体に接着していく

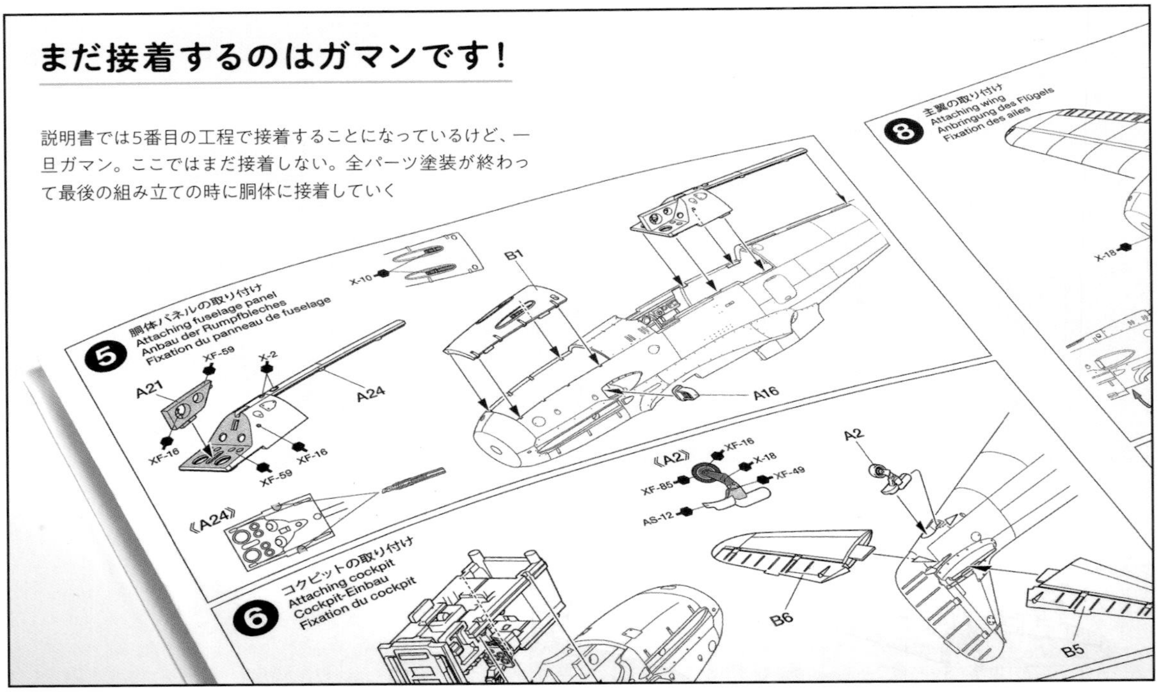

STEP.12

機首上面パネルは黒で塗る!

機首上面パネルの指定色は黒。つや消しブラックを使用して塗装していく。
飛行機の機首上面に塗られている黒い塗装を「アンチグレア」とも呼ぶよ。カッコいい響きだよね~

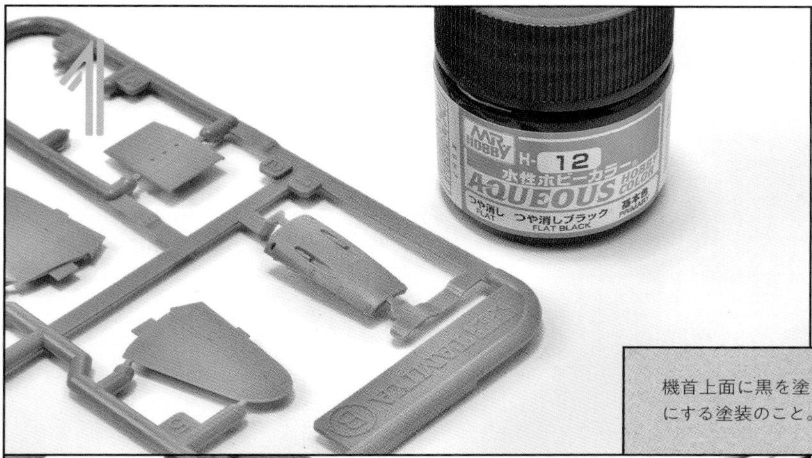

つや消しブラックを準備しよう

機首上面パネルの細かいディテールにまで、しっかりと色が乗るように塗っていくよ!

アンチグレアって何?

機首上面に黒を塗ることで、太陽の光が反射しないようにする塗装のこと。これでパイロットの目を守るんだ

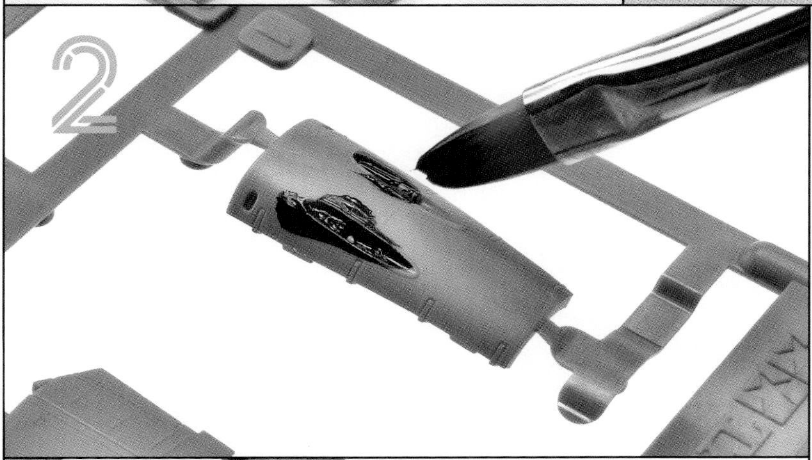

奥まった機銃部分から塗る

まずは塗料が入って行きにくい機銃部分を塗ってしまう。平筆を縦方向に持ち替えて塗ってみよう

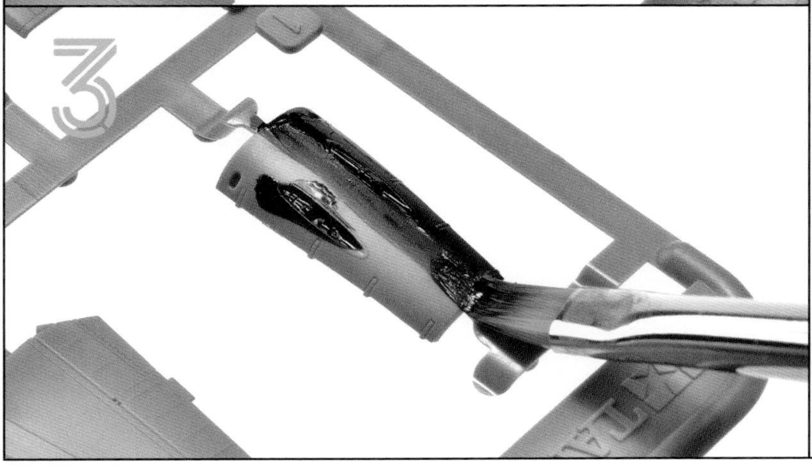

奥まった箇所を塗ったら全体を塗ろう

平筆を横方向に持ち替えて、上から下へと筆を動かして一気にパネルを塗ってしまおう。塗料が乾いてないうちに塗り重ねるのは止めようね

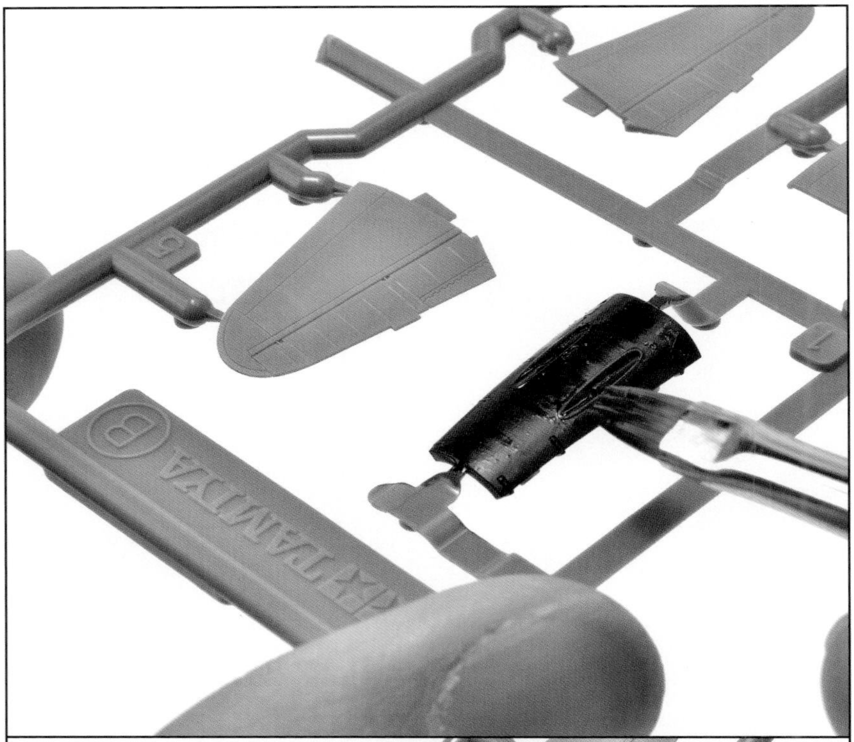

4

塗料が乾いたら横方向から塗り重ねよう

一度目は縦方向で一気塗り。二度塗り目は写真のように横方向から塗ってみよう。ムラなくキレイに仕上がるよ

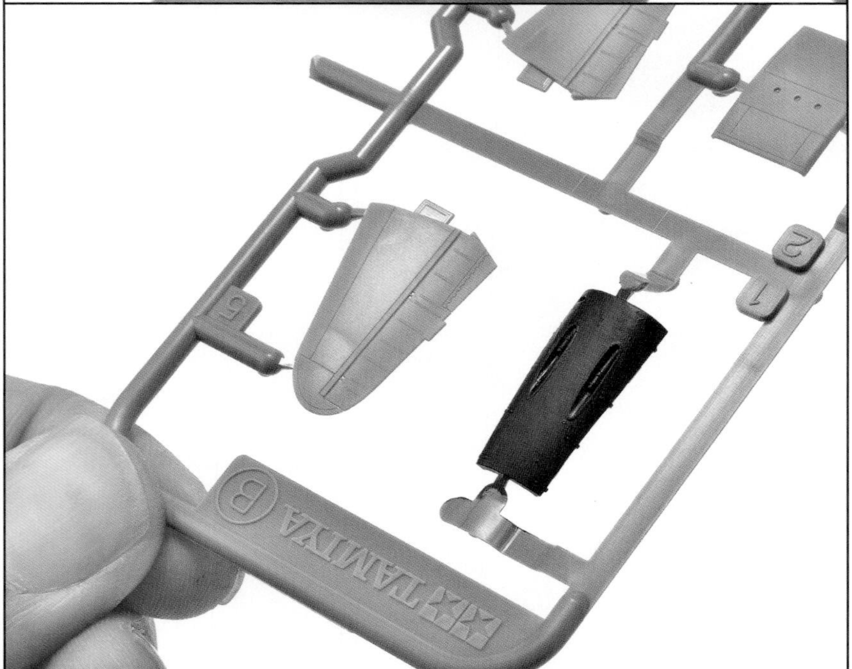

5

二度塗りでキレイにアンチグレア塗装ができた

つや消し塗料は乾燥すると自然とムラが落ち着く。塗り重ねるときは、完全に塗料が乾いてから塗るようにしよう

STEP.13

胴体パネルにある機体内部色を塗るよ!!

コクピットや機体の内部に塗ったサンディイエローが胴体パネルにも指定されている。銀一色ではないんだね。
このような塗り分けも、組み立てる前なら簡単！　ささっと塗ってしまおう～

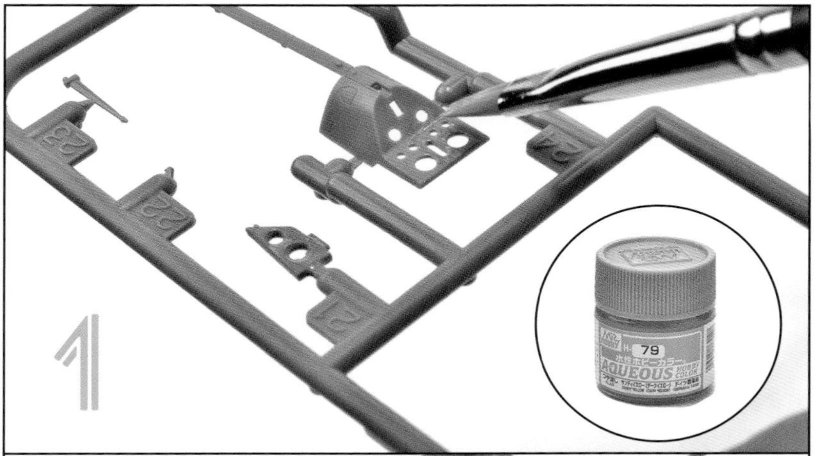

はみ出しても気にしなくて大丈夫

ここまでの工程で最多出場のサンディイエローを塗っていく。胴体パネルには穴が開いているので気を付けて塗らないと穴のなかやフチに塗料が溜まって汚くなってしまう。塗装がはみ出ても、この後の銀を塗る工程で塗りつぶせば修正できるので気にしなくて大丈夫だ

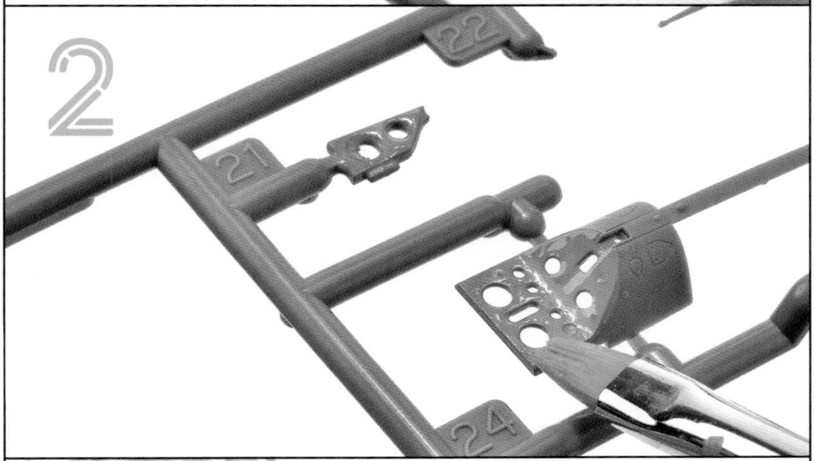

完全に乾いたら再度筆塗りしよう

穴の周辺や、穴のなかは他の部分に比べて乾燥に時間ががかる。乾燥するまでしっかりと待ってから塗り重ねるようにしよう

胴体の左右を貼り合わせよう

ここまでで、コクピットと胴体内部、パネルの塗装が完了。次は一番楽しい飛行機全体の塗装に移るよ。まずは胴体の左右だけ流し込み接着剤で貼り合わせよう。この段階ではまだ機首上面と胴体パネルは接着しないから気を付けてね

STEP.14

本体銀塗装にチャレンジ!

ここからは飛燕本体のメインカラーである「銀」の塗装を行なう。グレーのプラスチックが銀色に染まっていく瞬間はとにかく楽しいのひと言！
塗る面積は広くなるけど、コクピットや胴体内部を塗装してきたなら絶対に大丈夫

1

平筆と、銀塗料とうすめ液を入れた塗料皿を準備

広い面を塗っていくので、筆はセットのなかにある1番太い平筆を選ぼう。「塗料の濃度調整」や「小まめな筆洗い」が全体塗装のポイント。銀塗料のほかに、水性ホビーカラー専用うすめ液を入れた塗料皿も用意しよう

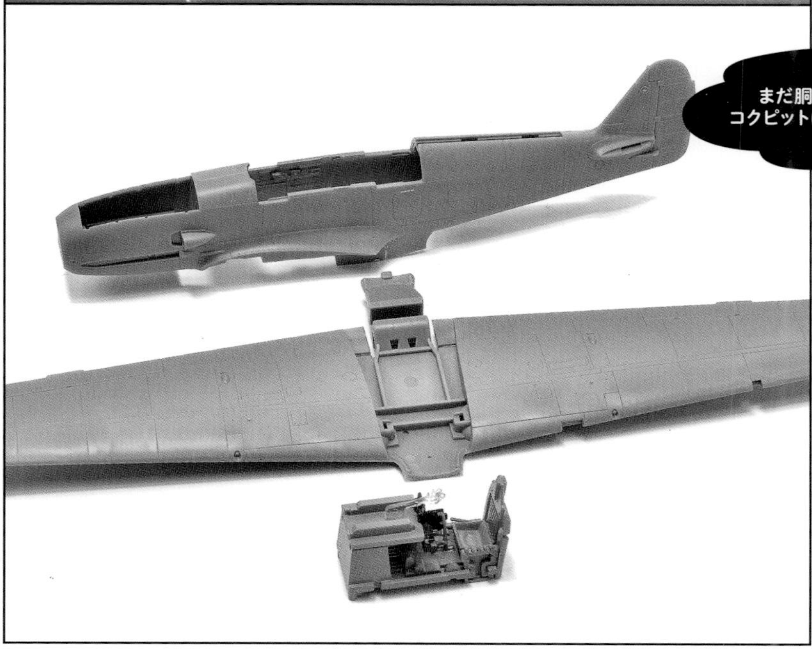

2

胴体と主翼コクピットは塗装後に接着する

これまで組み立てながら塗装してきたパーツたち。ここからは胴体と主翼の銀を塗装していく。各パーツは塗装が終わってから接着するぞ

3 銀はとにかく混ぜよう！

胴体内部の塗装でも解説した通り、銀は通常の塗料よりもしっかりと混ぜるのがポイント。よ～く混ぜていくと均一で滑らかな銀塗料になっていくよ。メンドくさがらず、しっかり混ぜようね

水性ホビーカラーの銀は、少しだけうすめ液で伸ばします

水性ホビーカラーの銀は、瓶そのままの状態だと少し粘性が強い。筆に少量のうすめ液を含ませて、銀を伸ばすように希釈しよう

筆に少量のうすめ液を含ませる

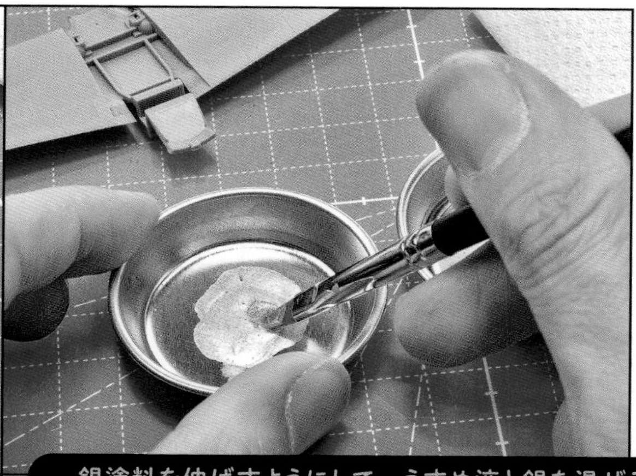

銀塗料を伸ばすようにして、うすめ液と銀を混ぜる

余分な塗料をペーパータオルで拭いて調整

4 銀塗料の濃度調節

うすめ液は筆先にチョンと含ませる程度でOK。写真のようにたっぷり含ませた場合は、一度ペーパータオルなどで筆を拭ってから銀塗料を希釈しよう。うすめ液を入れすぎるとシャバシャバになってしまって、プラモデルに塗った際に塗料が定着せず弾かれてしまうので注意

STEP.15

主翼の塗装……でもどこを持てばいいの!?

塗料も準備できたので早速翼のパーツを塗っていこう。でも、このパーツどこを持てばいいの？　翼を直に持ったら指紋がべっとりと付いてしまいそう……塗装ではこういったシーンが度々訪れる。パーツをよ～く観察して、手で持って大丈夫そうな場所を探そう

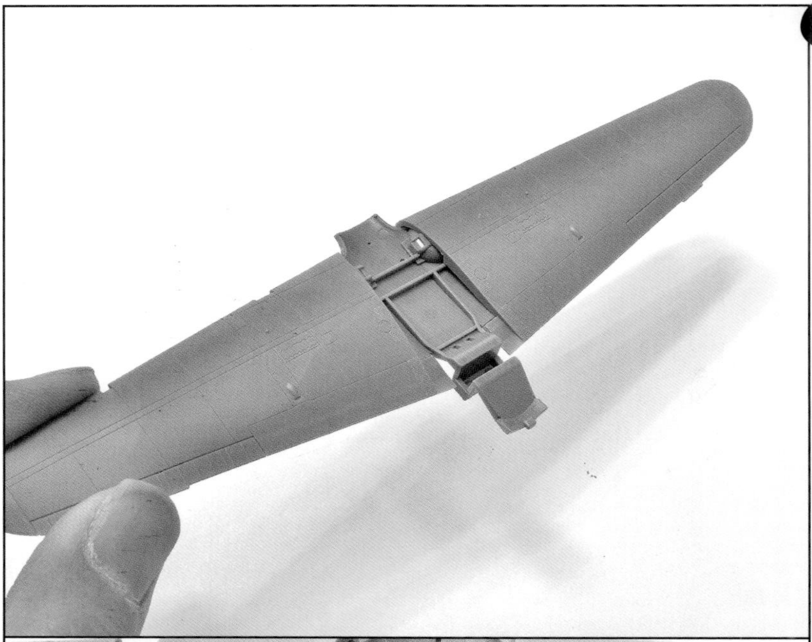

1 じっくりパーツを観察！

翼を塗る際は、できるだけ塗装箇所だけは持たない方が良い。それは指紋が付いたらとっても目立つ場所だから。表面が乾いていたとしても、実は奥の方が乾いてなくて、ムニュっと指紋が付いてしまうことがよくあるんだ。この場合はどこを持てばいいかな？

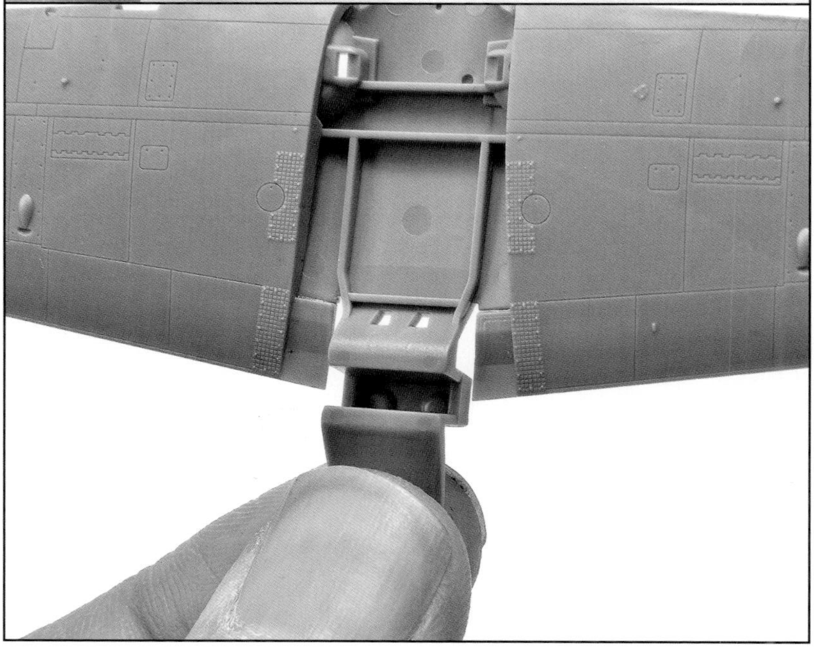

2 胴体パーツとの接続部を持ってみよう！

パーツ中央の一番下の出っ張りは、胴体パーツとの接続部。ここを持つと塗りやすそうだね。また接続部は飛行機の裏面になるから、万が一、指紋を付けてしまっても目立たなさそうだ

STEP.16

主翼の銀塗装スタート!

主翼を塗っていこう！　一気に塗ろうと焦らずに、ここから紹介する手順で塗っていけば、誰でもかっこいい銀の翼をゲットすることができるぞ！

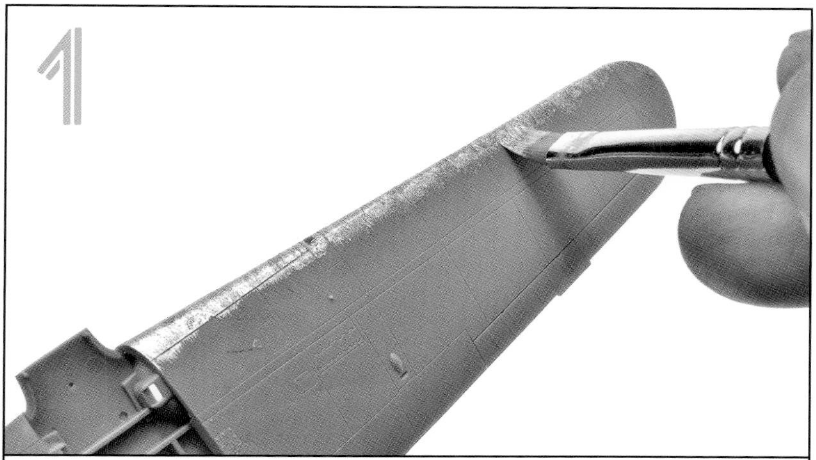

まずはフチだけ先に塗装しよう!

翼を塗装していくと、翼の前後のフチに塗料が溜まってしまい見た目が悪くなる。これを回避するために、先にフチだけ塗ってしまうのがポイント

翼を裏返して裏のフチも塗る

表側が塗れたら、裏面のフチも塗る。同じ場所を何度もなぞると厚塗りになるから気を付けよう。この段階では下地のプラスチックの色が透けていてもまったく問題ない

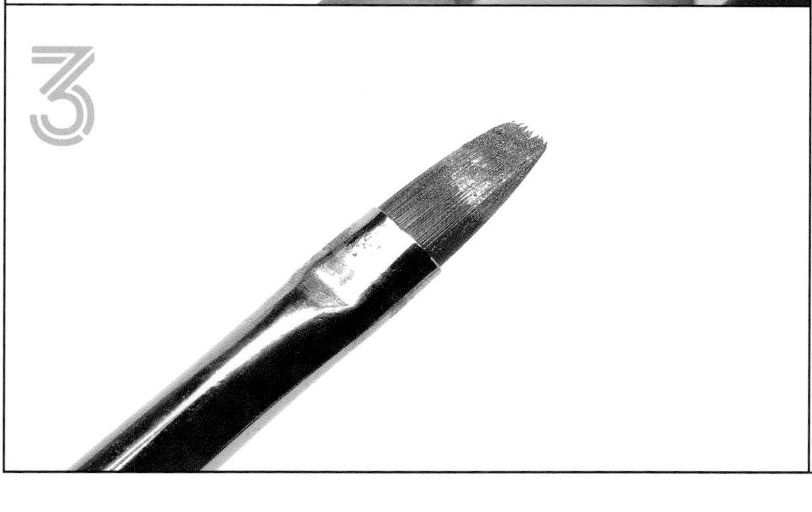

塗料が出なくなってきた

翼パーツのような広い面積を塗っていると、だんだんと塗料が少なくなってきて塗りにくくなる。そんな時は一旦筆を水性ホビーカラー専用うすめ液で洗ってリセットしてあげよう

STEP.17

塗装中の小まめな筆洗いはとっても大切！

初めて筆塗りをする人の失敗例で多いのが、「長時間塗り続けてしまうこと」。塗装を続けていると筆のなかの塗料も乾燥し始める。さらに筆のなかの水分も塗れば塗るほど無くなってくるので、だんだん筆が固まってしまう。そのような状態で筆塗りを続けると、キレイに塗ることはできなくなる。「塗りにくくなってきたな」と思ったらすぐに筆を洗おう

1

塗料皿のなかでしっかりと洗おう

水性ホビーカラー専用うすめ液を入れた塗料皿のなかで、しっかりと筆を洗おう。筆のなかからどんどん固まっていた銀塗料が溶け出しているのが分かるかな？

2

しっかり洗えたら、筆を引き上げる

今回はそのまま銀を塗るので、ある程度洗えれば問題無し。洗うことによって、筆にも水分が補給されるよ

3

余分な水分を落とそう

洗い終わった筆を、ペーパータオルの上などで軽くポンポンと押し付けて余分な水分を落とす。これで筆の状態が回復したぞ！

4 再び銀塗料を含ませて再スタート!

筆のなかの水分も充分。銀塗料を少量筆に取り、塗装を再開しよう

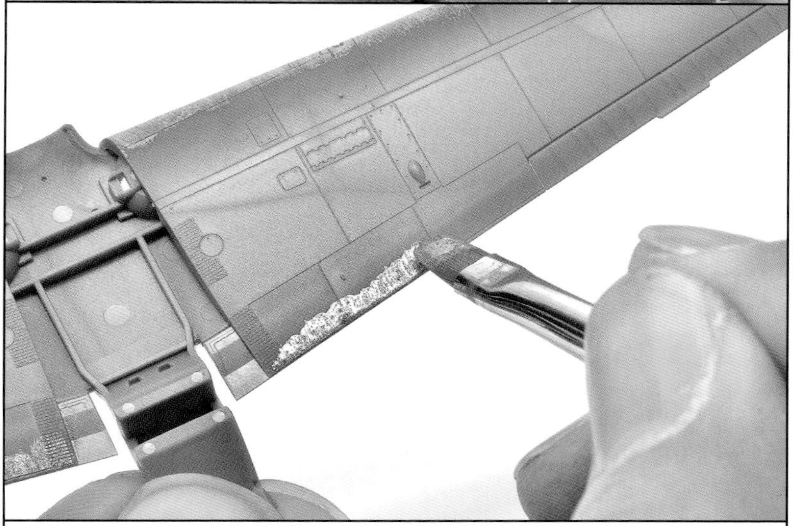

5 翼の下側のフチを塗ろう

翼の下側のフチを塗っていく。フチを塗る時は上から下へと縦方向に筆を動かしながら、横に塗り進めていくと効率がよく塗装できる

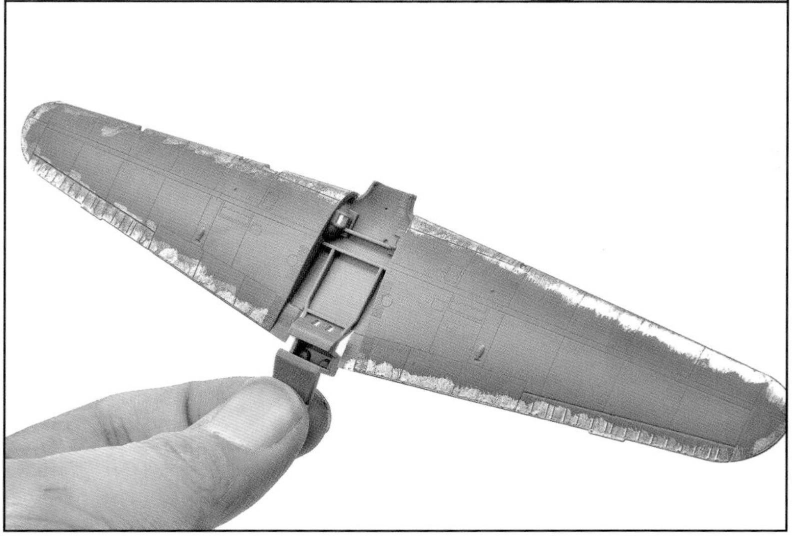

6 翼のフチが塗れた!

これで翼のフチ塗装が完了。この状態で、しっかりと塗料を乾かしてから残りの部分を塗っていくよ

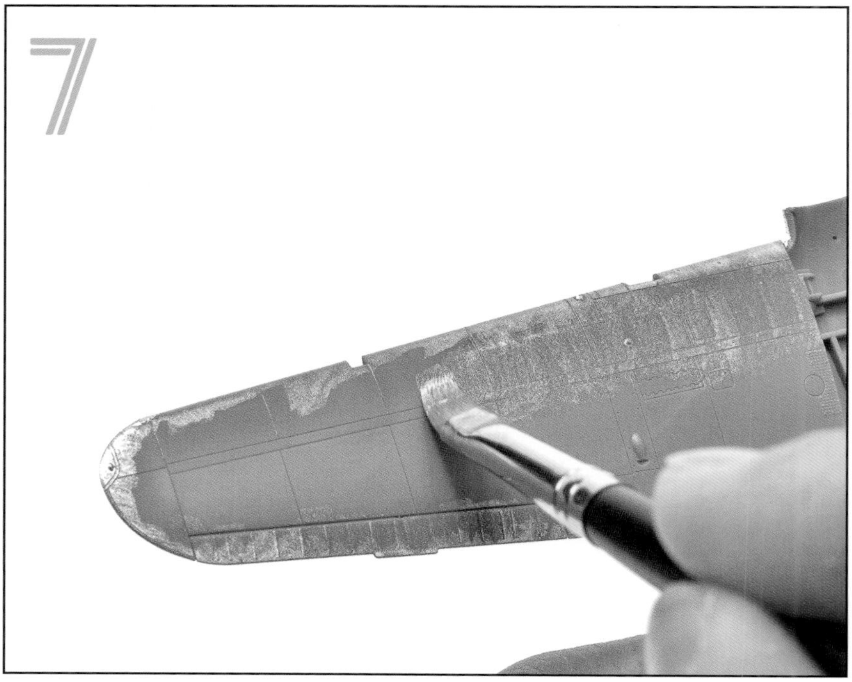

7 塗り絵のように内側を塗りつぶしていくイメージで

塗り絵をする時、外側だけ先に塗って、なかを塗りつぶしたりするよね。あの感覚で翼を塗っていく。翼は面積が広いから筆のストロークを長くし過ぎると、塗り始めと塗り終わりで、塗られた塗料の量に大きな差が出てしまい仕上がりが乱れてしまう。先ほどと同様、短いタッチで上から下に筆を動かしながら、横にスライドするように塗り進めよう

8 外側と内側で差があっても大丈夫だよ!

1回目の塗りが終了。先に塗ったフチの方がしっかりと発色していることに注目。1回目はこのくらいでまったく問題無し！　乾いてから塗り重ねていくと、フチの部分と内側の差が無くなって自然になるよ

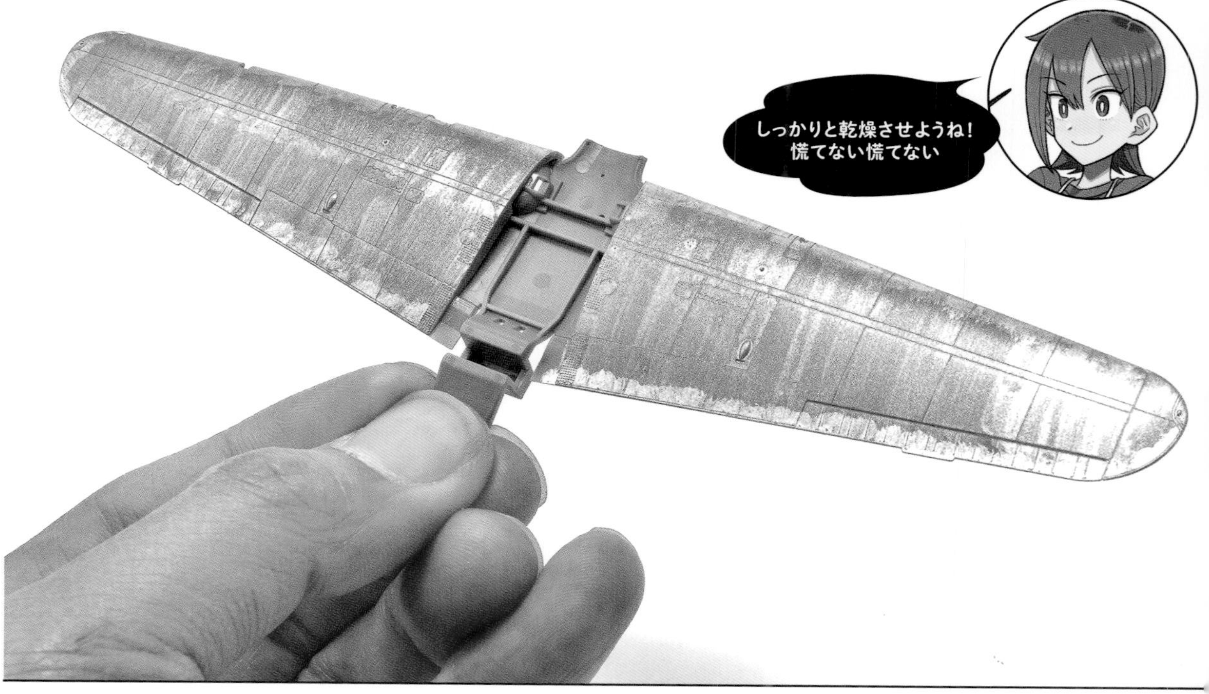

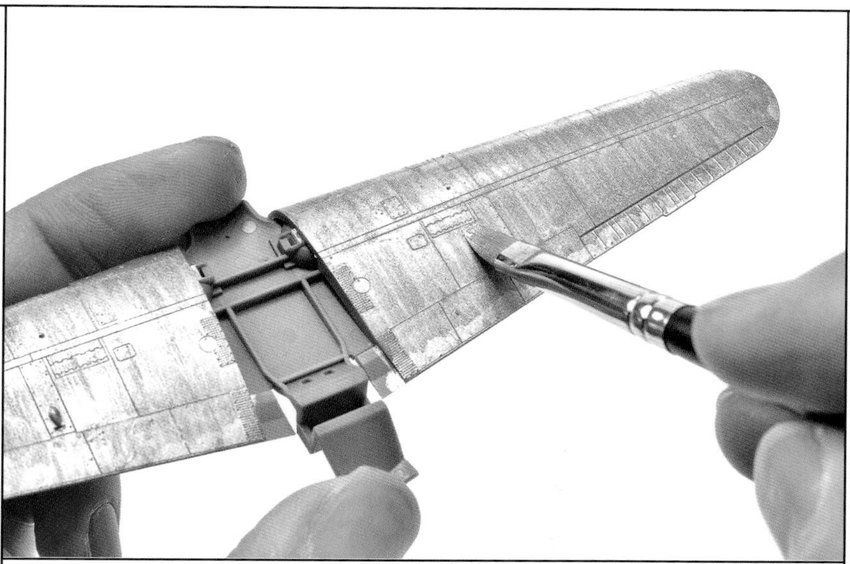

9

完全に乾いたら 2回目を塗ろう

胴体や翼のような広い面積を塗る時は焦らないのが成功するカギ。塗りムラや、筆を返して塗料をえぐってしまったりしても、一旦ガマン！　完全に乾いてから再度塗ることで簡単にかつキレイに修正できる

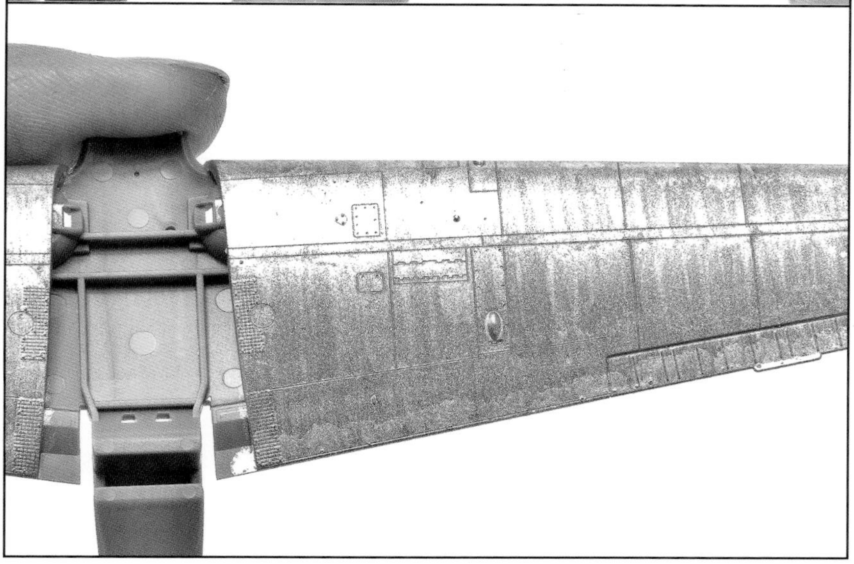

10

2回目の塗装が終了

まだフチと内側の差が目立つけどかなり銀が発色してきた。乾いたら再度塗りたいところだけど、このまま同じ濃度の塗料を塗り続けると厚塗りになるばかり。まずは塗料の濃度を調整しよう

11

銀塗料を薄めよう

うすめ液を筆に取って、先ほど塗った銀より薄めに調整する。薄くした銀を仕上げに塗ることで、表面がより滑らかになる

12

筆を動かす方向はお好みでどうぞ!

濃度を薄くした銀を塗っていく。この時、縦方向に筆を動かせば、より筆目が強調された仕上がりに、横方向に動かせすと筆ムラ感が抑えられた平滑な塗面になるんだ。どちらもカッコいいから好きな方法で塗ろう

13

翼の塗装が完了

左翼は縦方向に筆を動かして塗り重ねた状態、右翼は横方向に筆を動かして塗り重ねた状態。翼の表面の表情が変わっているのが分かるかな？　フチとの発色の差もほとんど消えて、いい感じに塗り上げることができた!

STEP.18

胴体の銀塗装

胴体は翼よりも形状が複雑だけど、筆塗りの基本は同じ。持てそうな場所を探して、塗りにくそうなところから先に塗っていこう

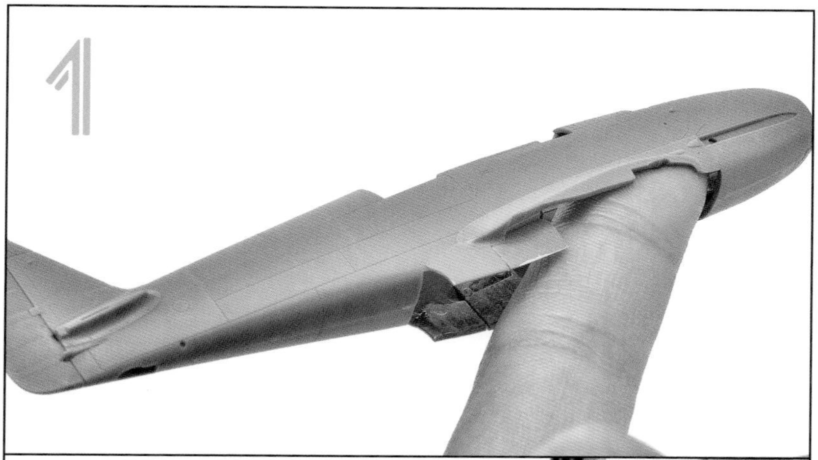

指がすっぽり入った!

外側を塗装するので、胴体内側で固定できれば塗装もしやすい。試しに指を入れてみたらしっかりとフィット。指に胴体をはめた状態で塗っていく

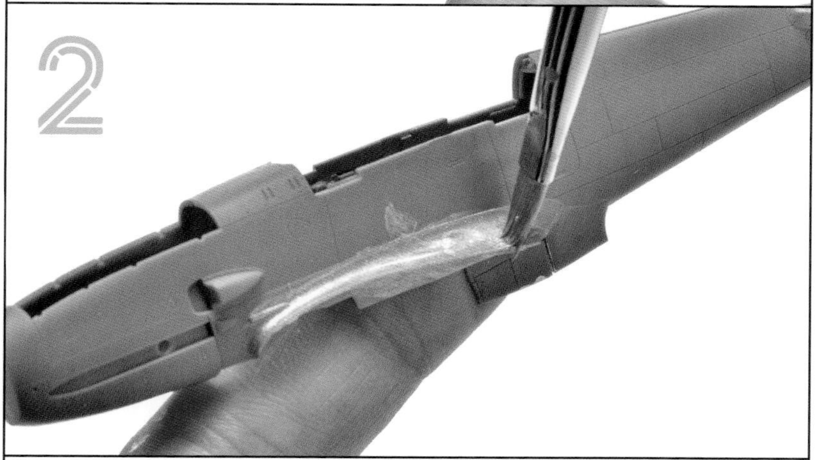

主翼と繋がる膨らみを塗る

胴体側面の主翼基部にある膨らみ、ここは塗料が溜まりそうなので先に塗り込んでおこう

上から下へと筆を動かして塗っていく

細かいタッチで筆を上から下へと動かし、横方向にだんだんスライドするようにして塗り広げていく。主翼を塗装した時と同じだね

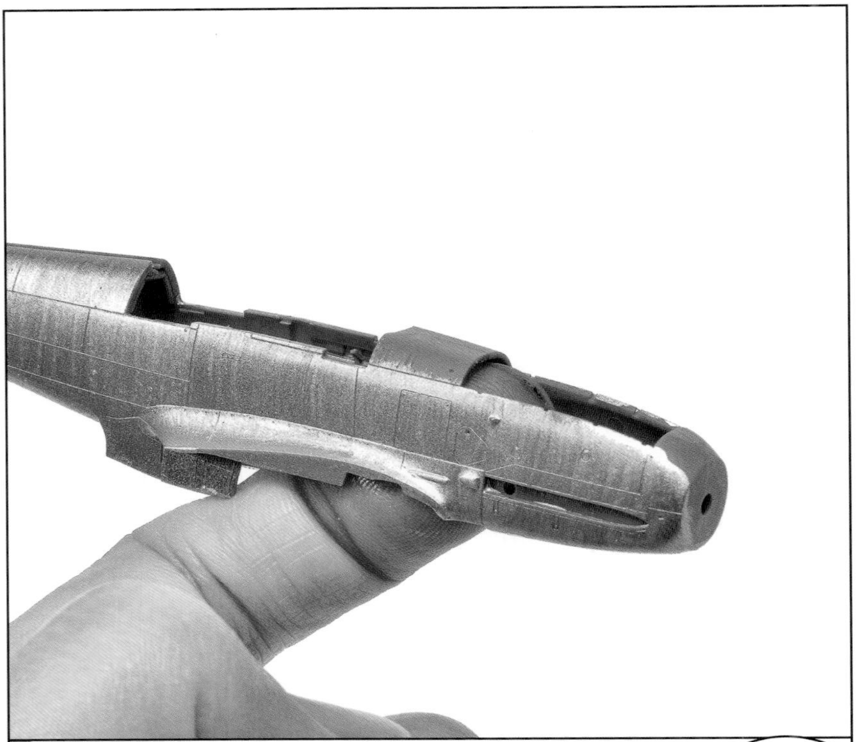

4

細かいタッチで全体を塗り終えた

筆目がしっかりと残っているね。1回目はこれで全く問題無し。胴体のお尻の方にある尾翼は赤色で塗るから、銀の塗料は塗らなくて大丈夫。この状態で一度しっかりと塗料を乾かそう

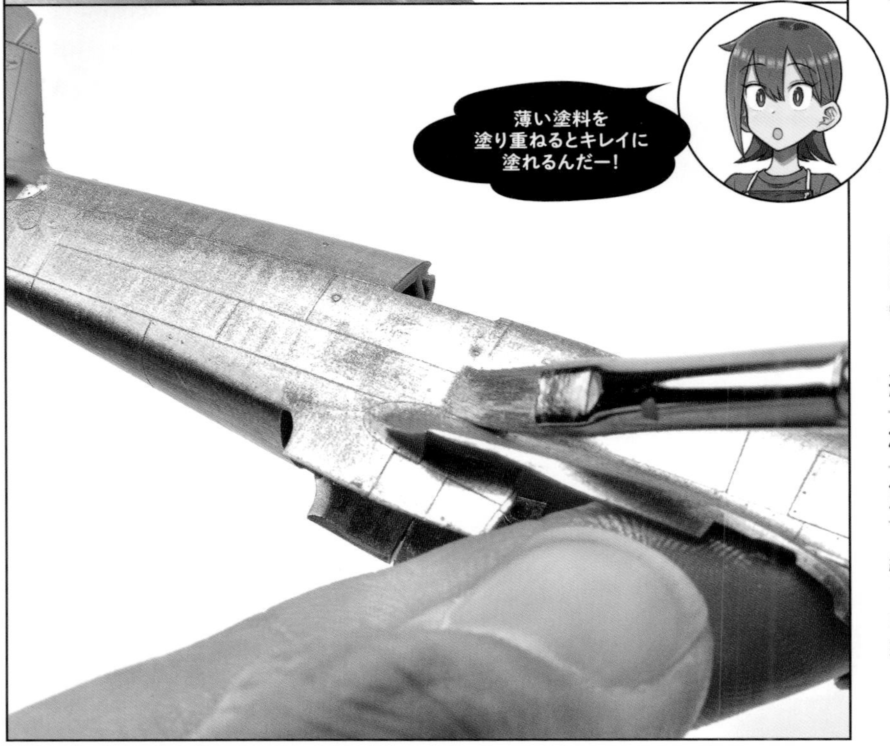

5

細かいピッチで横方向に筆を動かそう

縦方向の筆目が目立つ塗り上がりだったので、筆目を抑えるために、今度は筆を横方向に動かして塗っていく。銀は少し薄めに希釈したもので塗装。しっかりと発色してだんだんキレイになってきた

6 銀の胴体が塗り上がった

筆を横方向に動かしながら二度塗りしたことで、筆目が落ち着いた。ステップ4の画像と見比べてみてね。水性ホビーカラーの銀は輝度も高くてとてもキレイ

7 1日乾燥させるのがオススメ！

胴体や翼は他のパーツより慎重に扱おう。乾いていないところなどを触ってしまい、指紋がついてしまうとテンションもがた落ち。どんどん次の工程に行きたいところだけど、休憩も大事。1日じっくり乾燥させれば、塗料が剥がれるなどのミスもなくなり完成度もアップするよ

STEP.19

小物や細部の塗装

本体塗装を終えたらプロペラやタイヤなどを塗装していく。小さいパーツはランナーに付いた状態のままの方が塗装しやすいぞ。塗装後にゲートをカットしたら、塗れていないゲート跡のところをちょんちょんと筆で塗ってリタッチしよう

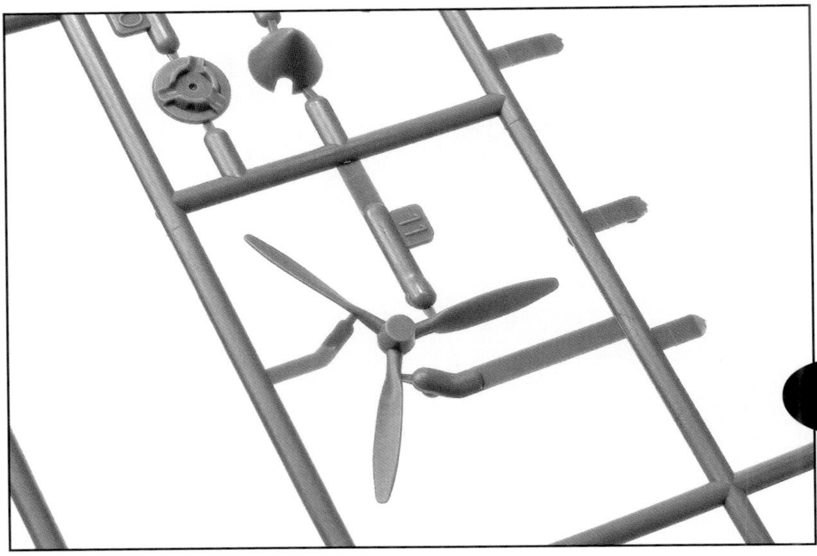

1 プロペラを塗っていくよ

プロペラのパーツは3パーツ。どれもシンプルなので、塗装するのもそれほど難しくない

2 レッドブラウンで塗ろう

プロペラとスピナー(円錐状のパーツ)はレッドブラウンが指定色。こちらはつや消し塗料なので乾燥するとマットな仕上がりになるんだ

3 平筆で一気に塗っていく

スピナーの頂点から底面へと降りてくるように、上から下方向へ筆を動かして塗ると塗りやすい。基部パーツは側面のフチが露出するので、ここも忘れずに塗装しておこう

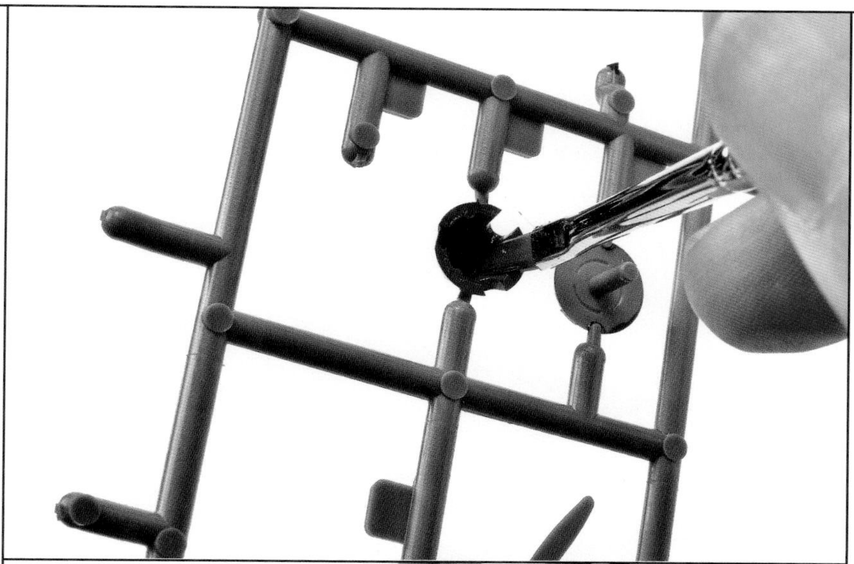

4

スピナーの内側も塗っておきましょう

スピナーの内部は、プロペラが生えてくる穴からちらっと見えることがある。この時プラスチックのグレー色のままだと目立ってしまうので、しっかり裏側もレッドブラウンを塗っておこう

5

プロペラの塗装

プロペラは筆のストロークを長くして塗ろう。パーツ中央からプロペラの先端へと一気に筆を動かす。そうすると均一にキレイに塗ることができるよ

6

お次はシルバーの出番だ

続いて胴体パネルや脚カバーなどを塗っていくよ。こちらは本体色でも使用したシルバーを使う。しっかりと混ぜてから塗装しよう

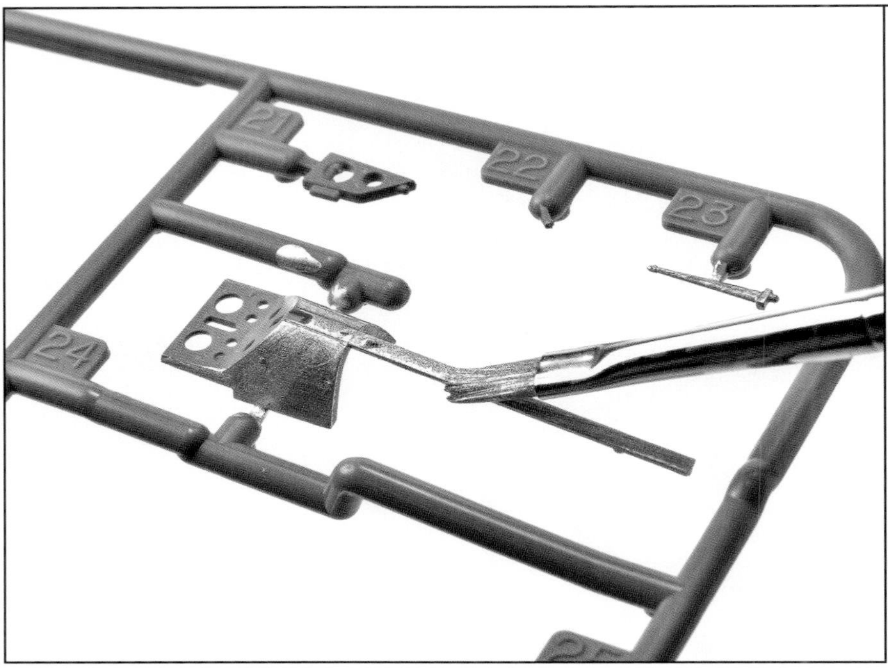

7 胴体パネルの銀塗装

85ページで内部色を先に塗装した胴体パネル。こちらも銀を塗っていこう。この時内部色が外側にはみ出ていたら、上から塗りつぶすだけで修正できる。そのまま銀を上塗りすればOKだ

脚庫カバーの塗装は塗料がフチに溜まらないように！

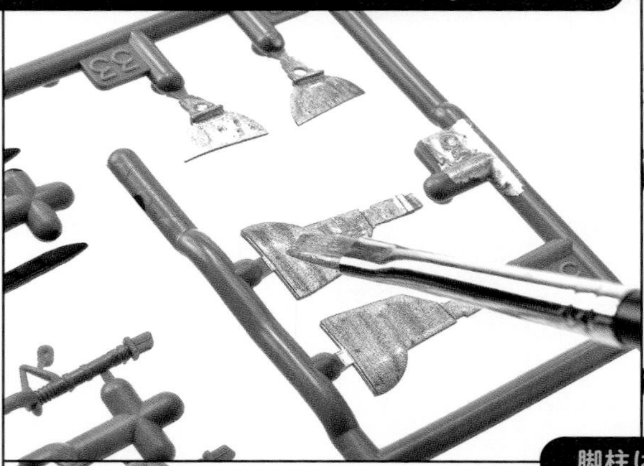

脚柱はディテールが多いので、厚塗りにならないように注意！

8 タイヤのホイール塗装はガンガンはみ出してOK

脚庫カバー、脚柱、タイヤのホイールも銀が指定されているので、一緒にどんどん塗っていこう。特にタイヤのホイールはタイヤ部分に銀がはみ出してもいいので、怖がらず一気に塗ってしまおう

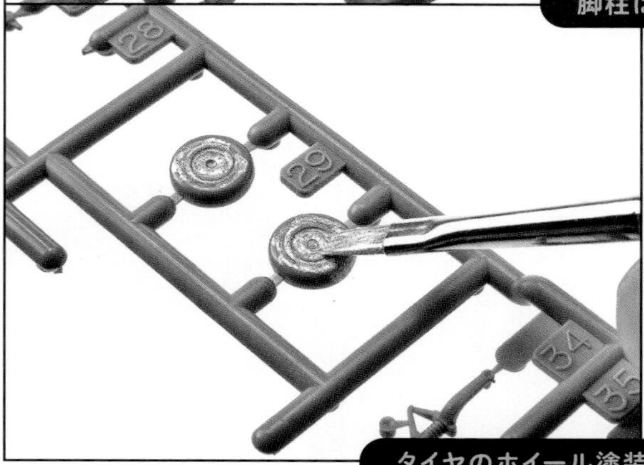

タイヤのホイール塗装は、ガンガンはみ出してOK

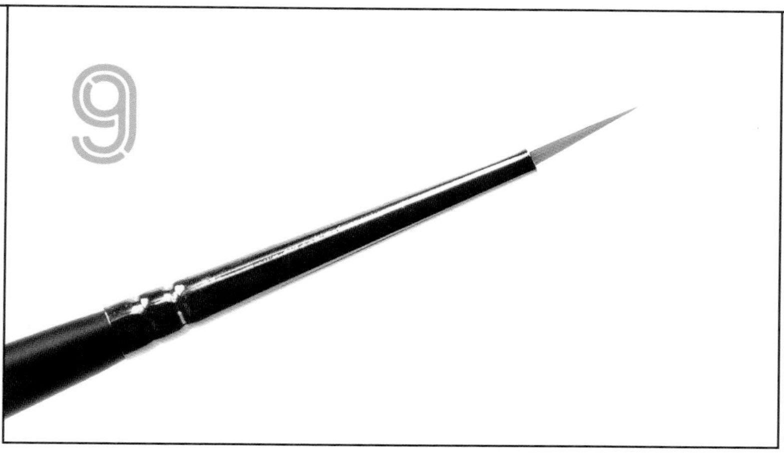

さらに細かい塗装は極細面相筆にお任せあれ

ここからさらに細かい塗り分けにチャレンジ。そんな時、力になってくれるのが3本セットのなかの極細面相筆。こちらを使用して細部を塗っていく

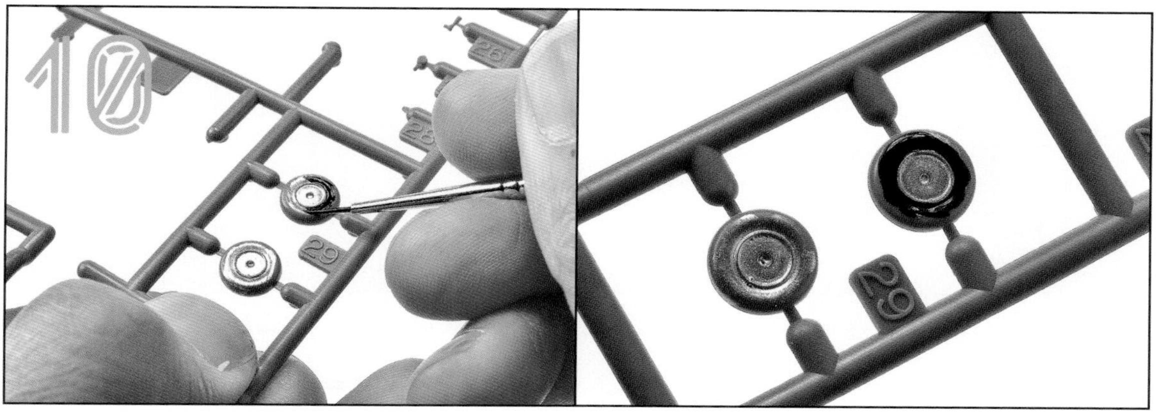

筆先をホイールとタイヤの境界にぐっと押し込もう

極細面相筆でホイールとタイヤを塗り分ける。ポイントは、ホイールとタイヤのディテール部分に筆先を押し込むようにすること。そしてそのままディテールに沿わせて筆を動かしていくと上手に塗り分けることができる。極細面相筆でホイールとタイヤの境界を塗り分けることができたら、残りの部分は平筆に持ち替えて一気に塗ると効率がいい

尾輪はある程度塗り分けられていればOK

飛行機のお尻を支える尾輪。細かい塗り分け指示があるけど、あまり目立たないからタイヤだけ塗っておくだけでも全然大丈夫だ

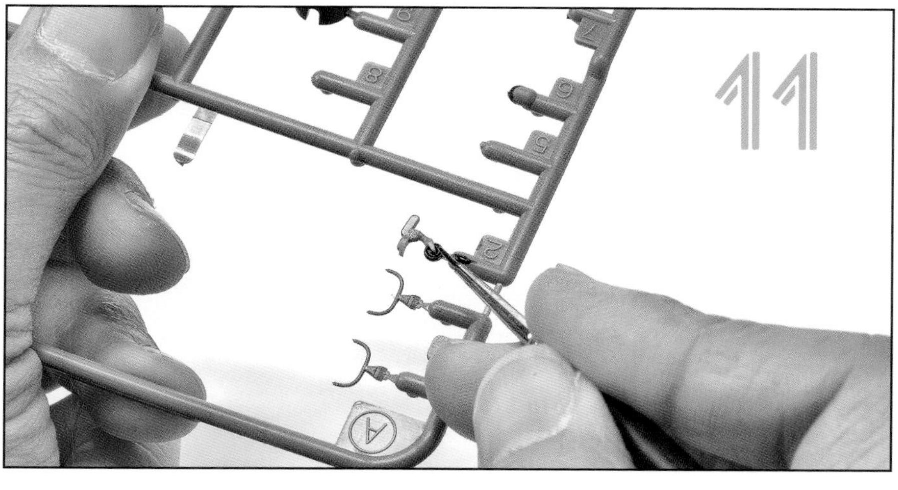

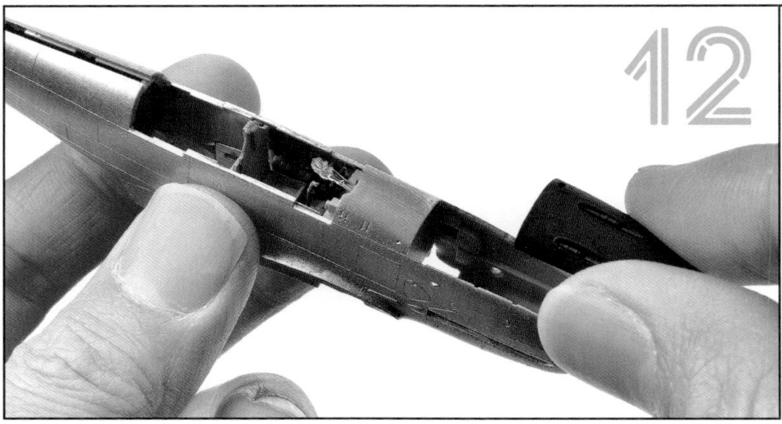

胴体側のアンチグレアを塗装しよう

83ページで先に塗装していた機首上面パネル。胴体側にもアンチグレア（黒い塗り分けのこと）が塗装されているのでこちらも塗っておこう。機首上面パネルはランナーから切り離しておくよ

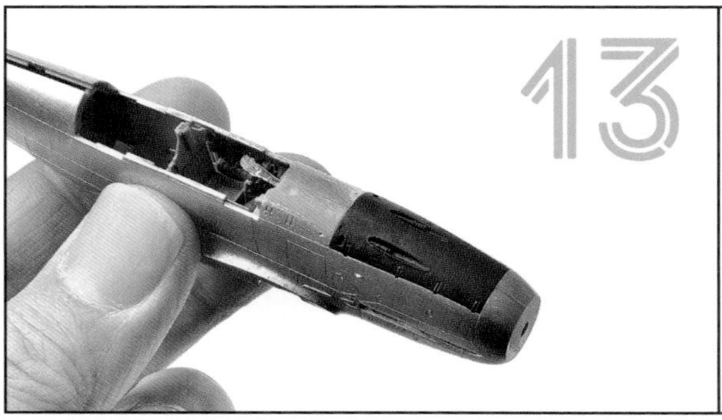

接着しないで仮置きする

機首上面パネルを胴体に仮置きして確認。この延長線上の胴体パーツ上面にもアンチグレア塗装が施される

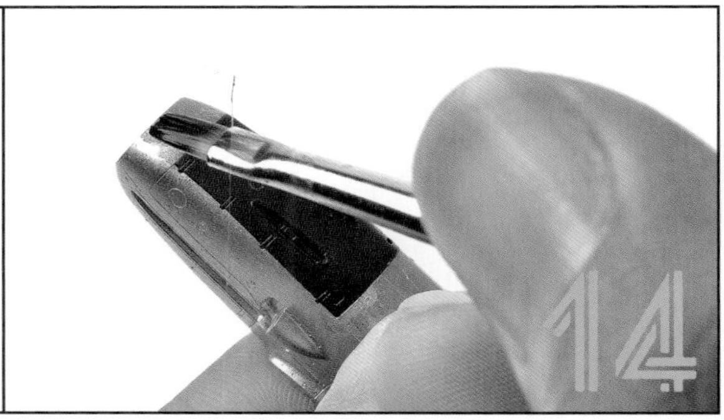

機首側とキャノピー側のアンチグレアを塗ろう

キャノピー側はパーツ表面の溝（パネルライン）が塗り分けの目印にもなっているので分かりやすい。機首側は上面パネルの延長線をしっかりとイメージして塗装しよう

はみ出したらシルバーを塗って修正

黒が胴体側にはみ出しても胴体色のシルバーで塗りつぶせば直せる

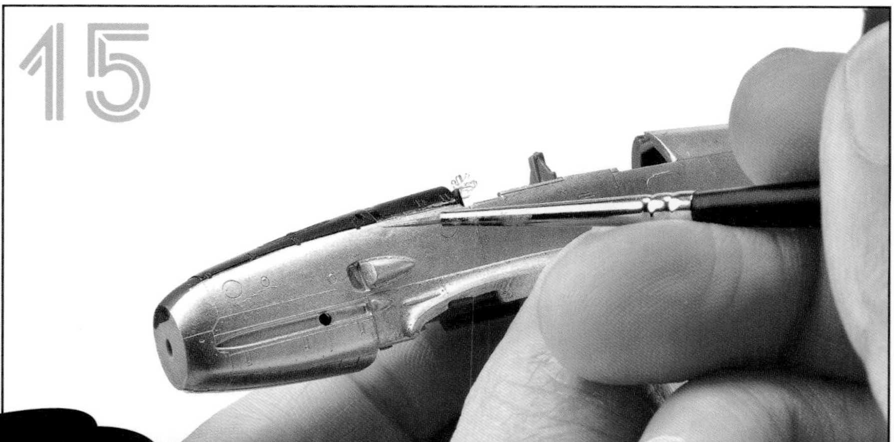

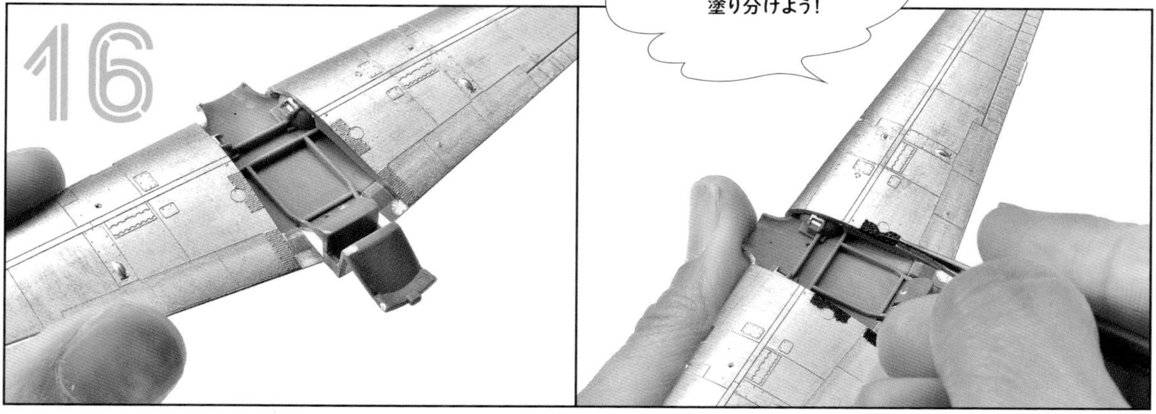

主翼の両脇にある ディテールは黒で塗ろう

主翼になんだか細かい凹凸のディテールがあるね。これはパイロットが足を滑らせないようにする滑り止め。つや消しブラックで塗るように指定されているから、極細の面相筆で少しずつ塗っていこう。色分けされると、主翼の銀のなかで黒がアクセントになってカッコいいよ

チラ見えポイントの 脚庫内部を塗る

完成後に低い位置から写真を撮った時に、ちらりと見える脚庫の内部。ここも塗り分けられていると見映えが良くなるよ。色数も1色（サンディイエロー）だからササっと塗ってしまおう。まずは脚庫のフチ部分に極細面相筆を添わせて、脚庫内をフチ取るように塗装する

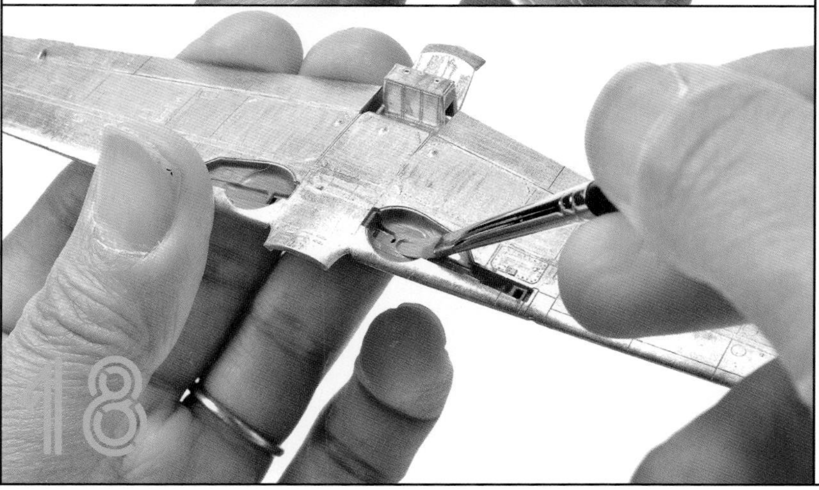

平筆で一気に 内部を塗ろう

フチが塗れたら後は平筆で中央部分を塗りつぶすだけ。これで脚庫内も色が増えて、全体が引き締まったぞ

STEP.20

尾翼の赤を塗ろう！

飛燕の尾翼の赤を塗るとカッコよさは倍増！　「銀の胴体＋赤」の相性は抜群なのだ！

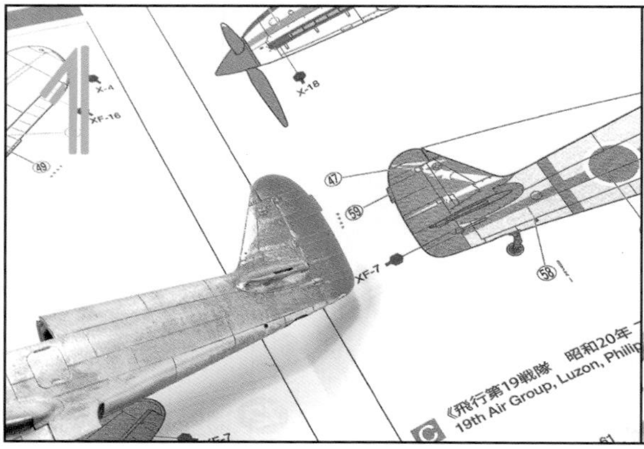

塗装図をチェック

胴体に対して縦に繋がっているのが「垂直尾翼」。横ににょきっと生えているのが「水平尾翼」。今回塗る飛燕は、ここが鮮やかな赤！尾翼を丁寧に塗れればあなたの飛燕が映えること間違いなし

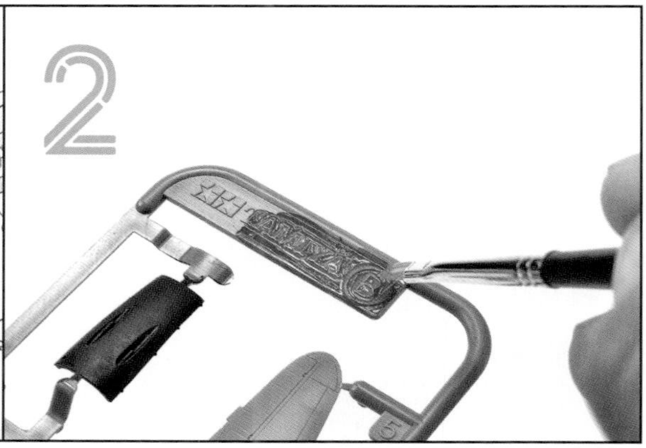

ランナーのタグで試し塗りしてみよう

鮮やかな色はプラスチックのグレーの色の影響を受けやすい。いきなりパーツに直接塗るのではなく、ランナーのタグなどに試し塗りすると、塗装した時にどのような色味になるのか確認することができる

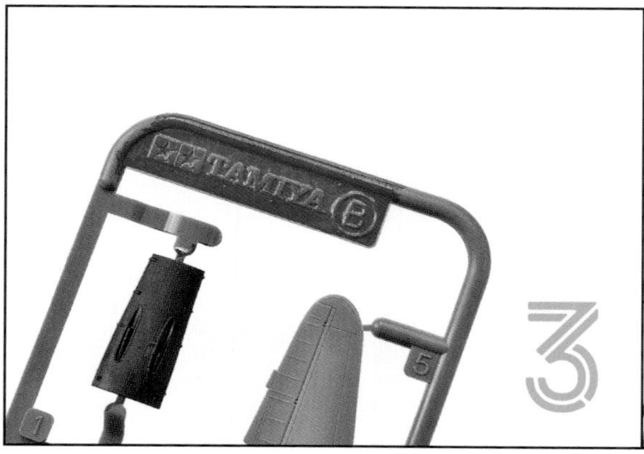

二度塗りで
しっかり鮮やかな赤になった

ランナーを二度塗りしたらこのようにしっかりと赤が発色した。イメージも掴めたので実際のパーツに赤を塗っていこう

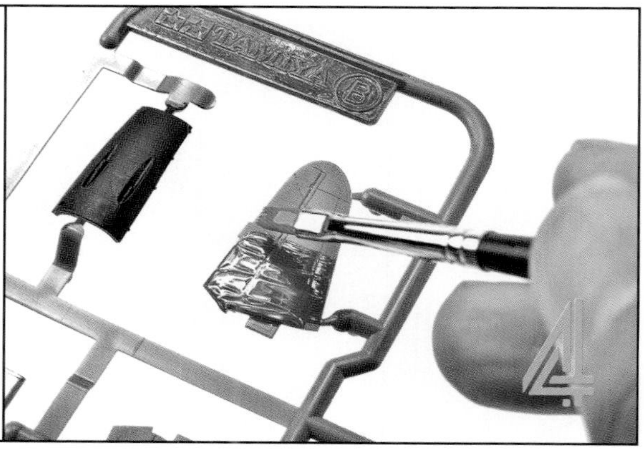

水平尾翼は
ランナーに付けたまま塗ろう

水平尾翼は切り離すと持つところがほぼ無くなってしまうので、ランナーに付いた状態のまま塗装しよう

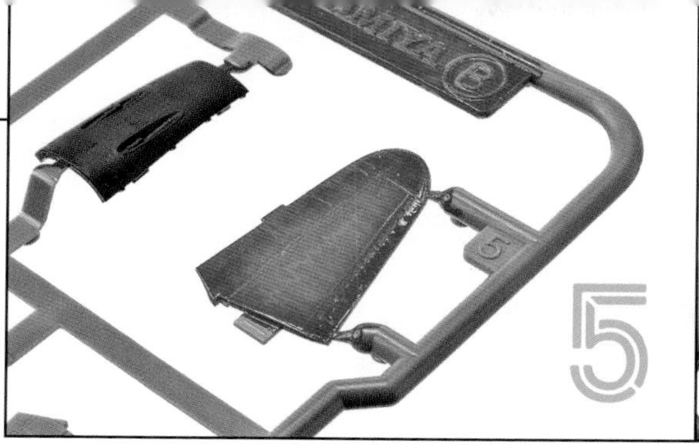

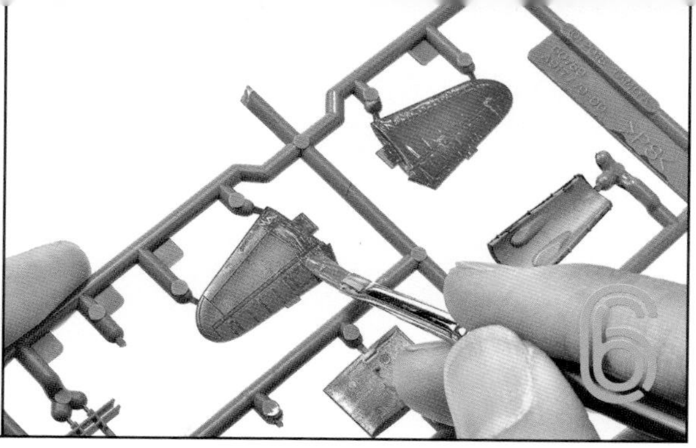

じっくり乾かす

水平尾翼の表と裏を塗ったらじっくり乾かす。慌てないこと！

乾いたら、もう一度塗ろう

銀を塗った時のように、水性ホビーカラー専用うすめ液を少量加えて薄めた赤で再度塗装する

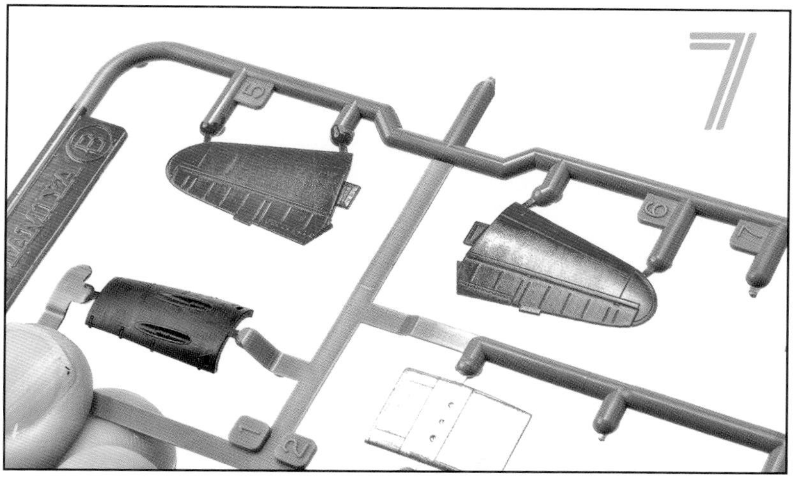

キレイに塗装することができた！

塗料の伸びも凄く良いので、鮮やかな赤を筆塗りでキレイに塗ることができた。完全に乾いたのを確認してからパーツをゲートから切り離そう

パーツを傷つけないように慎重にね

塗装した面にニッパーの刃が当たらないように気を付けてカット

ゲート痕に赤を塗ろう

パーツをカットするとゲートがあった部分だけ赤ではなくグレーになっている。このゲート痕に赤をちょんちょんと塗ってリタッチしてあげよう

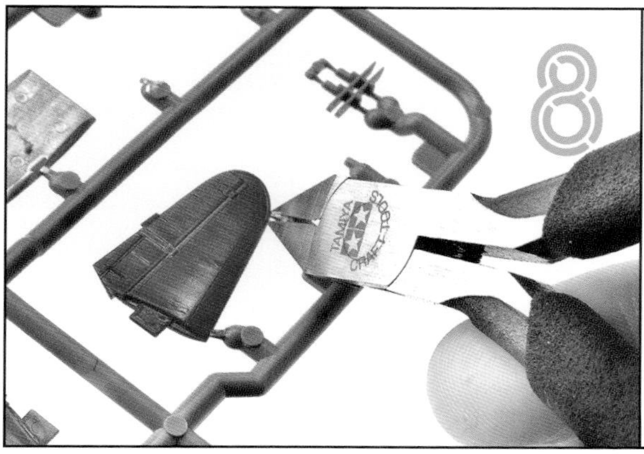

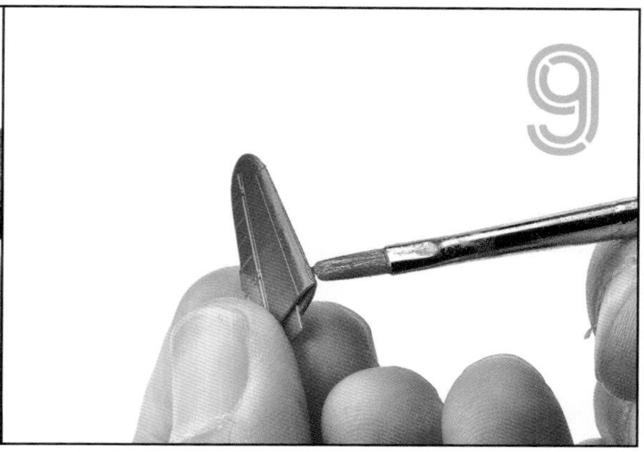

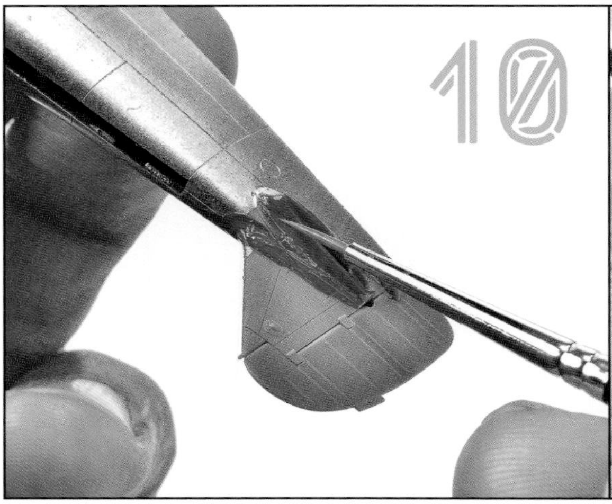

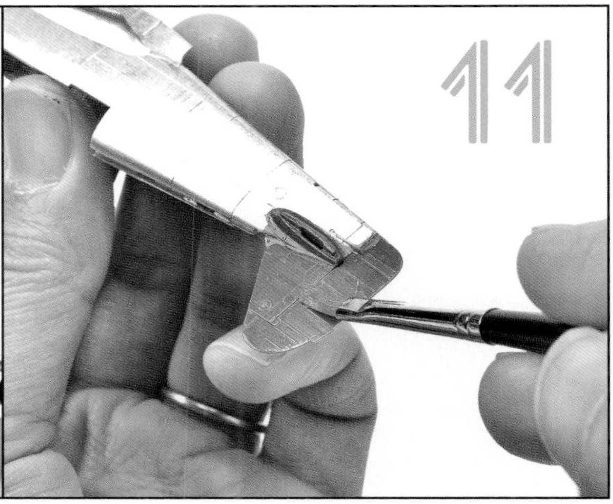

垂直尾翼の塗装 まずは極細面相筆の出番

次は垂直尾翼。ここは胴体のシルバーに赤をはみ出させないように塗るのがポイント。まずは銀と赤の塗り分けの境目を極細面相筆で塗っていく

境界線が塗れたら、平筆に持ち替えて一気に塗装しよう

境界線が塗れたら、ほかの部分は平筆で一気に塗装していこう。水平尾翼を塗った時のように二度塗りしてキレイに発色させよう

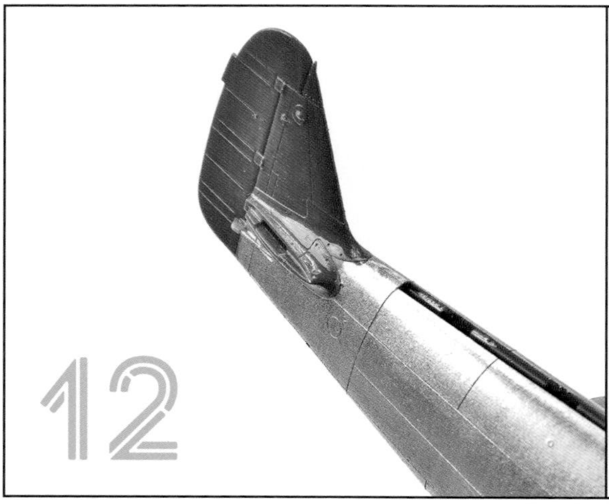

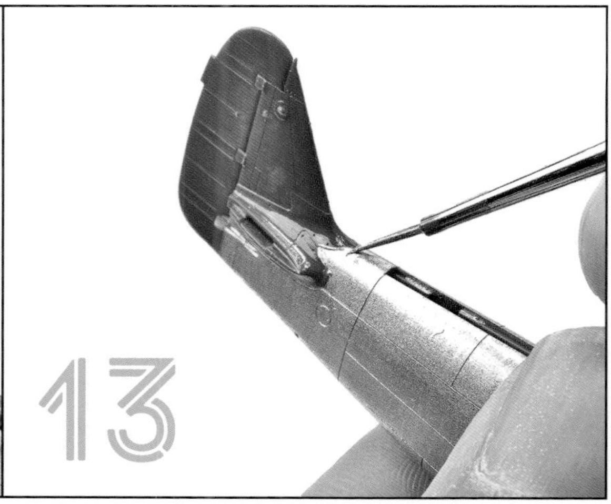

塗装完了…… あ、赤がはみ出てる

気を付けて塗装していても、このようにはみ出してしまうことはよくあること。この程度なら一瞬で修正できるぞ

極細面相筆で 銀を塗る!

はみ出した塗料が乾いていることを確認したら、極細面相筆に胴体色である銀を含ませて赤い箇所を上塗り。これで問題無し！

STEP.21

キャノピーの枠の塗装にチャレンジ！

塗装編もまもなくクライマックス！　ここで登場するのが透明な「クリアーパーツ」。飛行機模型におけるクリアーパーツの代表はコクピットを守るキャノピー。キャノピーは、実機のガラスを表現するために透明パーツになっているんだ。パーツをよく見ると線が刻まれているね、これが窓枠。今から塗装する部分だ。窓枠の塗り分けにはちょっとしたコツがいるけど、一度覚えてしまえばもう怖いものなし！

使用する塗料は黒と銀！

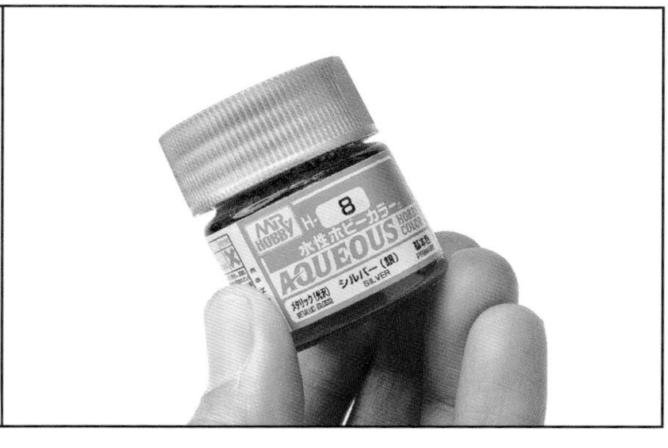

● つや消しブラック

いきなり本体色である銀を塗らないよ。まずはこのつや消しブラックが大活躍。その理由は次のページから解説するね

● 窓枠は、本体色と同じ銀になる

窓枠のメインカラーは本体色と同じ。銀の窓枠に仕上げるよ

STEP.21 キャノピーの枠の塗装にチャレンジ!!

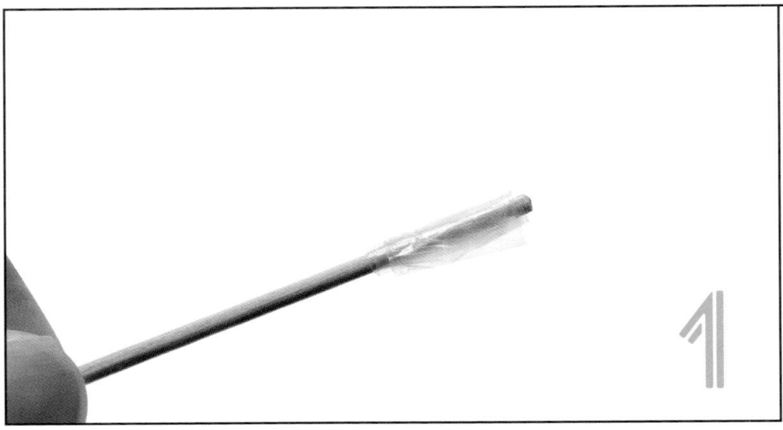

キャノピーの持ち手を作ろう

キャノピーは直に手に持って塗ると、とても塗りにくい。ここではツマヨウジにセロハンテープの接着面を表にして巻き付けた自家製の持ち手を使用する

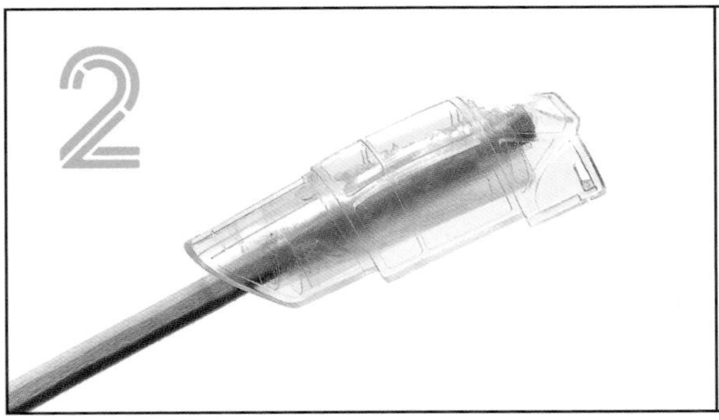

キャノピーをペタッと貼る

セロハンテープにキャノピーパーツをぺたりと貼ったら準備完了

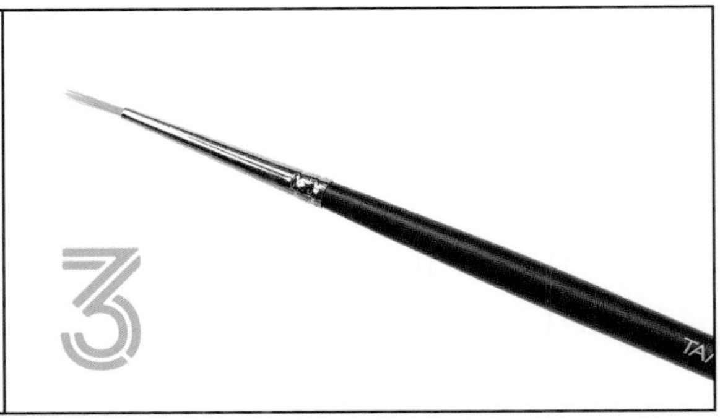

極細面相筆の出番!

窓枠の塗装は3本セットのうちの極細面相筆一択。これで充分塗り分けられるぞ

4

透明パーツの「透け」に対処しよう

クリアーパーツはそのまま塗ると内側から外の色が透けて見えてしまう。また、光が透過してクリアーパーツの箇所だけ悪目立ちしてしまうこともあるんだ

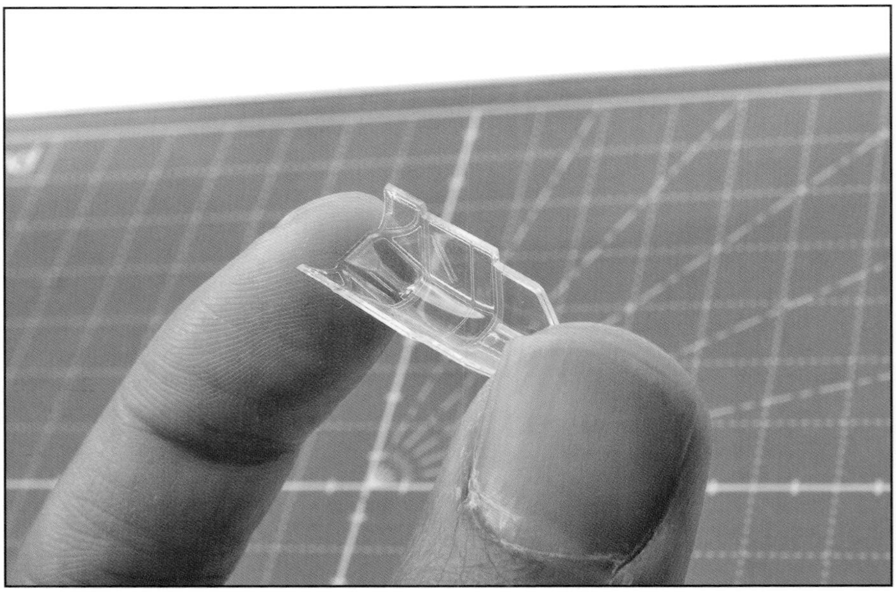

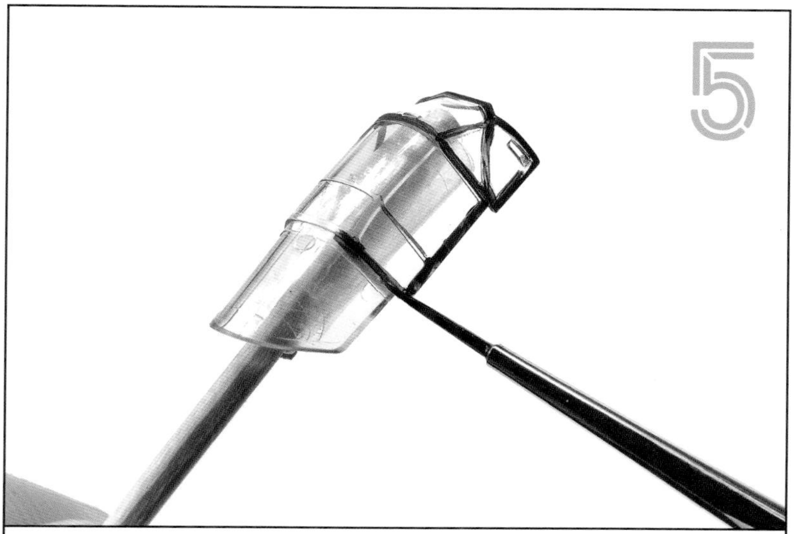

クリアーパーツの透けは「つや消しブラック」で対処する

この透けを防止するのに一番良いのが最初に「黒」を塗装すること。その後に本体色（銀）を塗る。まずは窓枠を黒で塗っていこう

この時点では多少のはみ出しは気にしなくていいよ

窓枠は細いからどうしてもはみ出したりしてしまう。でも大丈夫。まずはこのままでOKだ

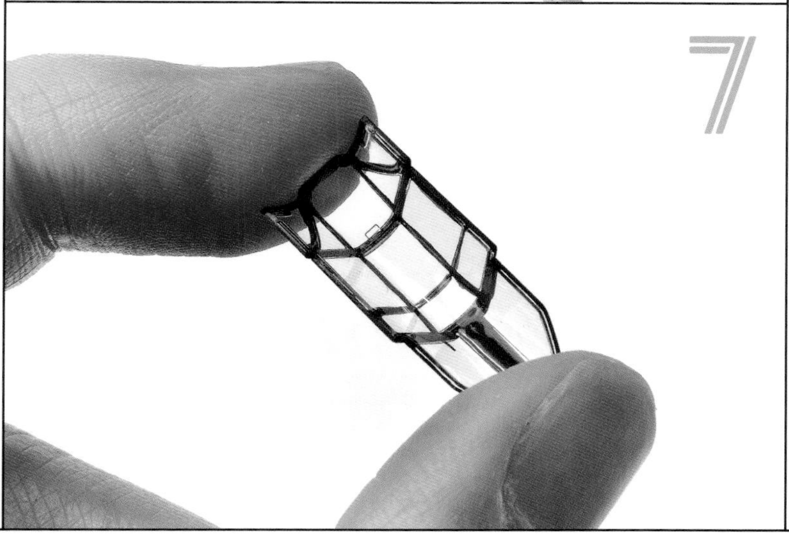

裏返して見てみると……

キャノピーを裏返すと窓枠部分にしっかりと黒が塗装されているのが分かる。黒が完全に乾いたら、黒色の上から銀を塗っていくよ

8 窓枠に 銀を塗っていくぞ

黒で透け止めができたら、ついに銀を塗るよ。同じ個所をチマチマとなぞらないで、線を引くように塗っていこう。極力はみ出さない方が良いけど、多少のはみ出しなら簡単に修正できるから心配無し

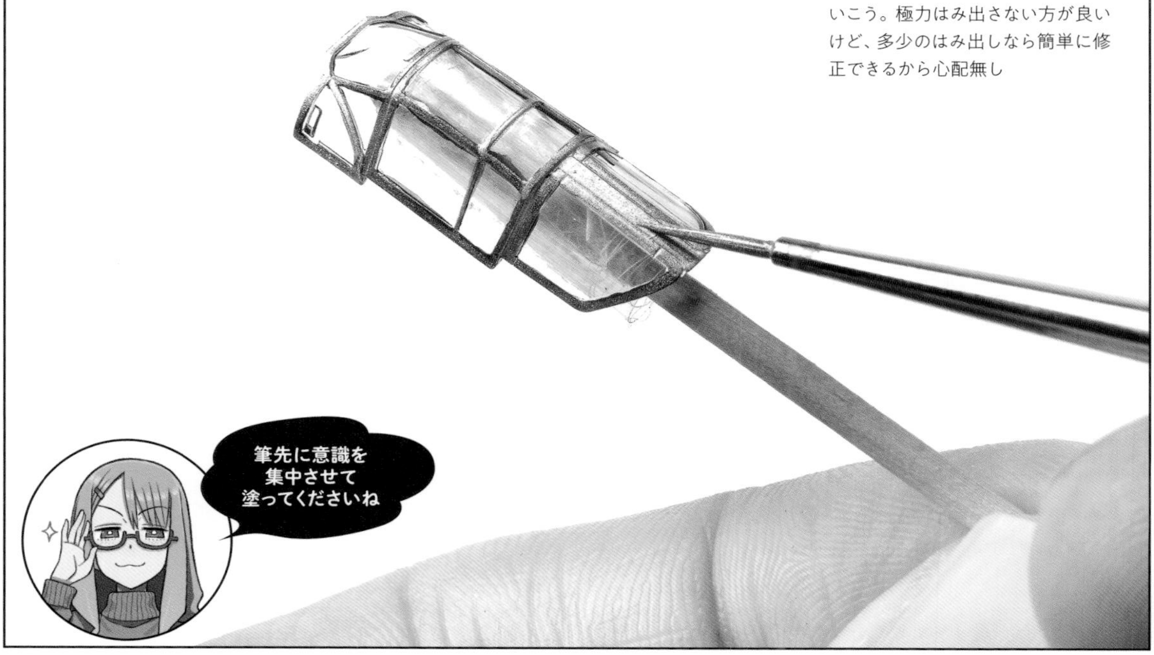

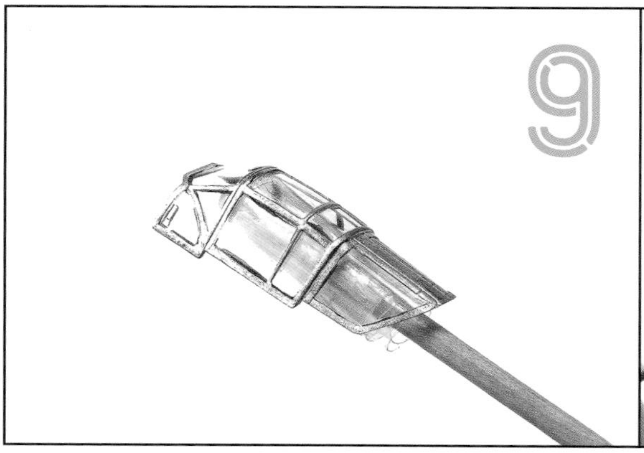

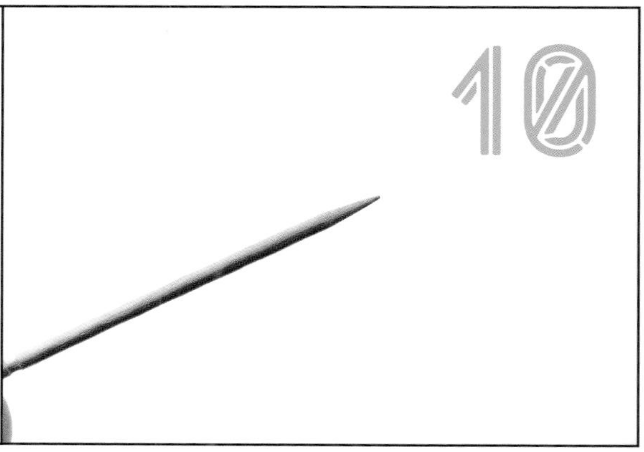

9 だいたい塗れた！

すべての窓枠を塗り終えた。でも近寄って良く見ると、黒や銀がはみ出しているのが分かるね

10 助けて！　ツマヨウジさん！

はみ出した黒や銀はツマヨウジにお任せ！　これではみ出した塗料をカリカリ削っていこう

11 半乾きくらいが削りやすい

半乾きくらいの段階で、ツマヨウジの先で塗料がはみだしたところを削ってやるとキレイに剥がれるよ。水性ホビーカラーは完全乾燥すると塗膜がとても強くなり、削りにくくなるので注意しよう

着陸灯のクリアーパーツも同じ手順で塗る

主翼に接着する着陸灯のクリアーパーツも黒で透け止めをした後に銀で塗装しよう。はみ出したらツマヨウジや先の細いもので削って対処するといいぞ

窓枠がかっこよく塗れた!

塗料を削って修正できるということが分かると、窓枠の塗装も怖くなくなるね。キャノピーが塗れると一気に自信がついて、もっと塗装を楽しみたくなるはず!

12

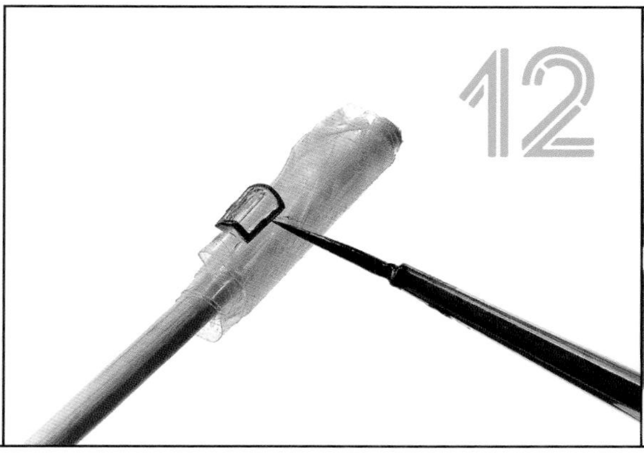

13

STEP.22

飛燕を塗装することができたぞ!

キャノピーは一度外して、傷がつかないように小袋に入れるなどして保存したよ。塗り上がった飛燕をぐるぐる見回して、塗り漏れや塗料のはみ出しが無いか確認してみてね

CHAPTER 03

　飛行機模型の塗装は、塗る→組み立てるを行ったり来たりすることが多い。「塗装しながら組み立てて行く工程がある」、「ランナーに付いたまま塗った方が良いパーツが多数ある」という、この2点は飛行機模型の塗装においては絶対に押さえておきたいポイント。飛行機模型を塗っていて迷ったら、ぜひこの塗装編を見返してみてほしい。必ずヒントとなる内容があるはずだ！

04

LET'S MARK-UP AN *Aircraft* MODEL!

第4章
ヒコーキモケイにデカールを貼ってみよう！

デカールは魔法！
貼るだけでヒコーキモケイが一変する！

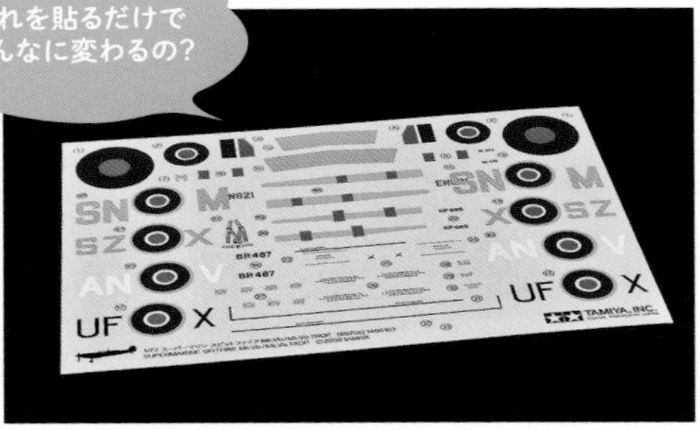

タミヤ1/72スケール 飛燕の筆塗りも終わり
遂にクライマックスの工程「デカール貼り」に突入！
その前に、デカールと言うものは何なのか？
組み立て、塗装と共に、飛行機模型のなかの
製作工程では独立したジャンルになる
「デカール貼り」をマスターしよう！

● 筆塗りが終わった
スピットファイア

筆塗りが終わった状態。なんだか全体に締まりがなくて、ぽわ～っとしている。この状態のままだと物足りないよね……

● デカールを
貼っただけなのに
見違えた！

これがデカールのパワー！さっきまでポヨンとしていた飛行機模型が、一気に引き締まったよ。これがまさに「デカールの魔法」。貼るたびに目の前の模型がカッコよくなっていくから楽しくてしょうがなくなるよ

デカールはシールよりもとっても薄いんです！

デカールが飛行機模型をよりリアルに見せてくれる理由のひとつが「薄さ」。シールは貼ると厚みがある分、盛り上がっていかにも「シールを貼りました」という感じがどうしても出てしまう。それとは対象的にデカールはとっても薄いので、まるで最初からそのマーキングが施されていたかのような質感に仕上がるんだ。だからこそ重宝されるんだね

え？ 僕みたいな「シール」とは違うんだね

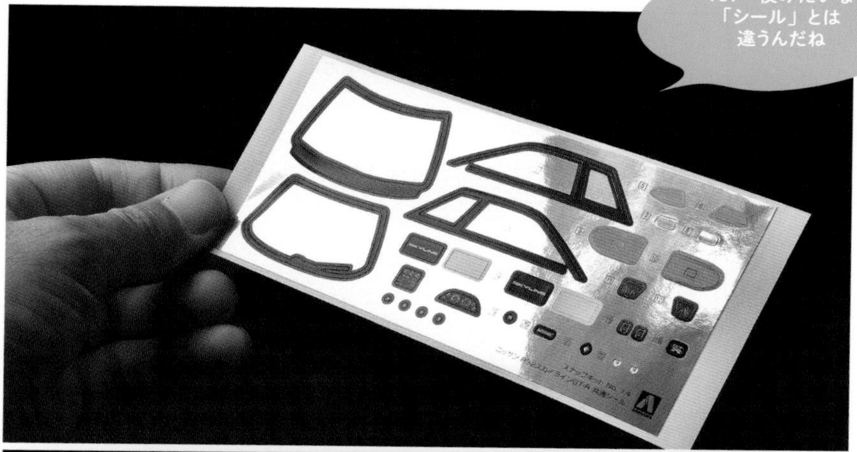

● シールとは別物なのだ

こちらはお手軽に作れるクルマ模型のシール。シールは色分けにはとっても便利だけど、どうしても厚みや色、光沢な質感によって「シールを貼りました感」が出てしまってリアルな仕上がりからは遠ざかってしまうんだ

とっても薄くてリアルなマーキングを施せるよ

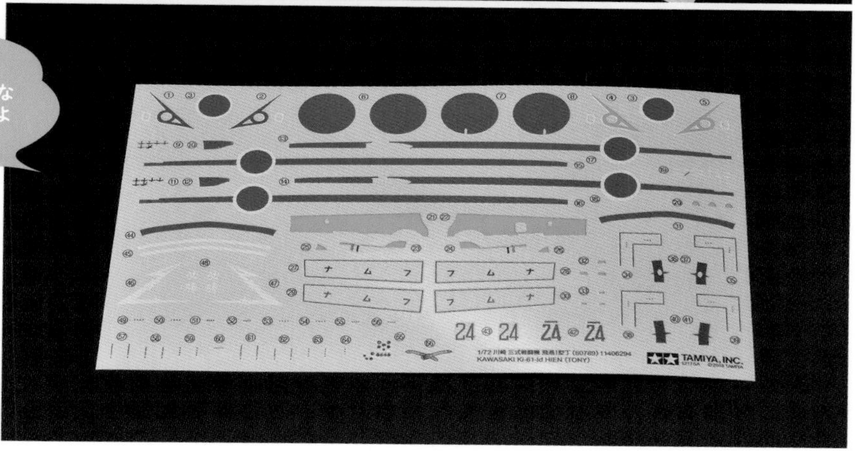

● 水転写デカール

台紙にマーキングがプリントされていて、水溶性の糊でコーティングされているデカール。水で濡らすと糊が溶けて、台紙からマーキング浮いてくるんだ。その浮いてきたマーキングを模型に貼るというワケ

▲ 塗装では難しい文字やマーキングが施せる！

このように模型にピタッと馴染むよ。これを塗装で表現するとなると、とっても大変だよね

▶ ニスの余白

マーキングの周囲にある余白のようなものはマーキングを保護しているニス。デカールを水に浸すと、この保護されたニスと共にマーキングが浮き上がってくるよ

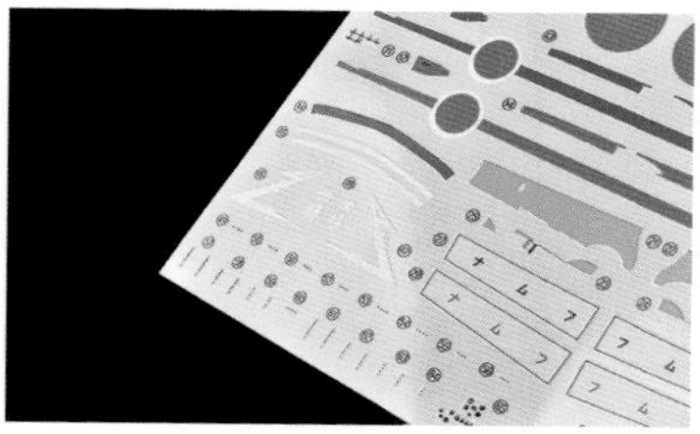

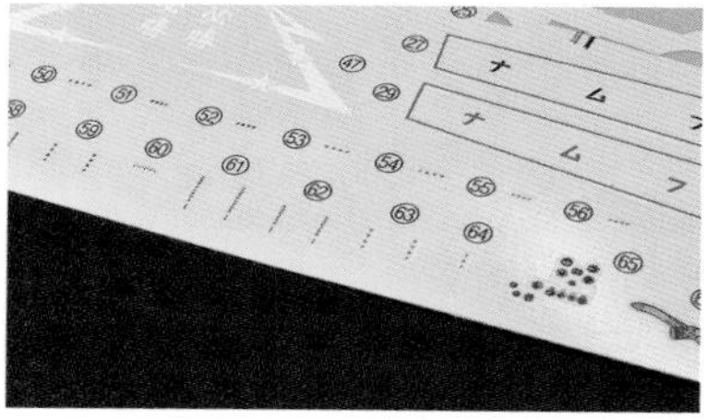

◀ 細かい文字も表現できる！

「ココヲオシテダス」「ココヲノセル」など、ドアップにしないと読めないような小さな文字までデカールは表現できるよ。凄い！

CHAPTER 04 ヒコーキモケイにデカールを貼ってみよう!

TOOLS デカールを貼るための道具紹介!

飛燕の水転写デカールを貼るために道具を準備しよう。デカールを貼るのに使う道具は意外と身近なものが多く100円ショップやスーパーマーケット、または薬局などでも購入できるぞ

● デカールのカットにはハサミとデザインナイフを使おう

デカールを貼る際、使用するマーキングの部分を台紙ごとハサミやデザインナイフでカットするよ

● 水と紙コップを用意しよう

水転写デカールは、台紙ごとカットしたものを水につけることでマーキングが浮き上がってくるので、紙コップやマグカップなどに水を入れておくと便利だよ

デカールの密着や余分な水分を拭き取るメイク用綿棒

デカール貼りの時に多用するのが綿棒。綿棒でデカールの余分な水分を押し出したり吸収したりしてパーツに密着させる。メイク用綿棒は両端の形状が異なり、先がとがっている方を使えば奥まった部分であってもデカールを密着させることができるぞ

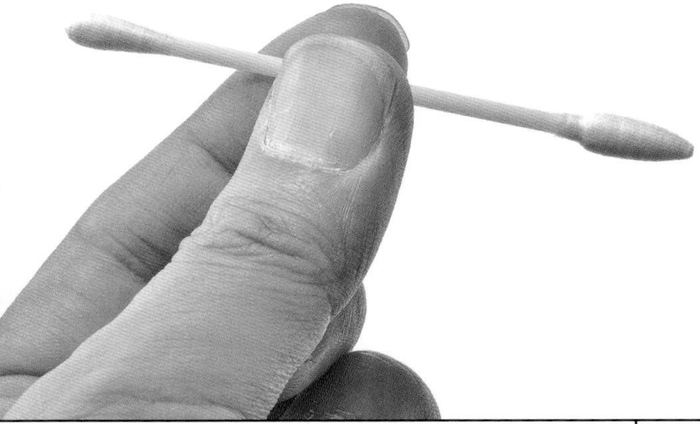

デカール貼りの余分な水分の吸収はクッキングペーパーとティッシュにお任せ

デカールを貼る時に、一旦水に通した後にマーキングが浮いてくるまで待たなければいけないが、その際にデカールを置いておく場所としてこのクッキングペーパー/ティッシュが重宝する。お好きな方を使ってOKだ

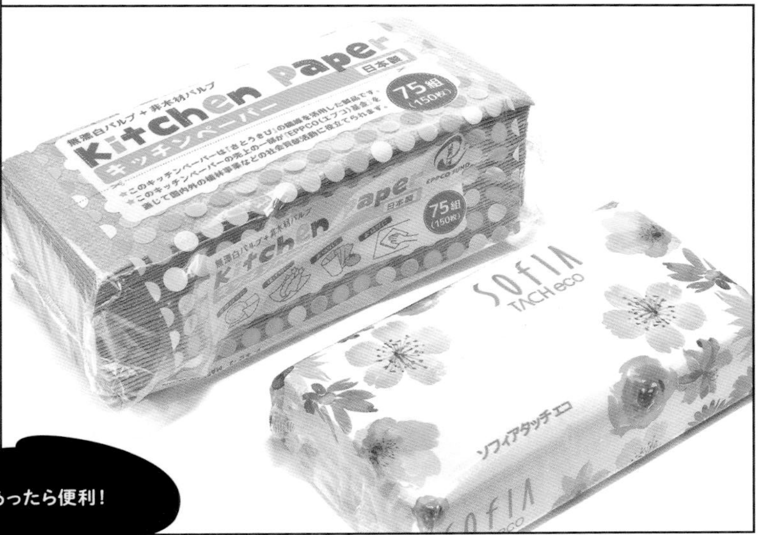

あったら便利!

デカール貼りをサポートするマークフィット棒

デカールがなかなか密着しないときに、こちらのマークフィットがあれば安心。デカールの軟化剤でもあるので、曲面などに追従しやすくなるぞ

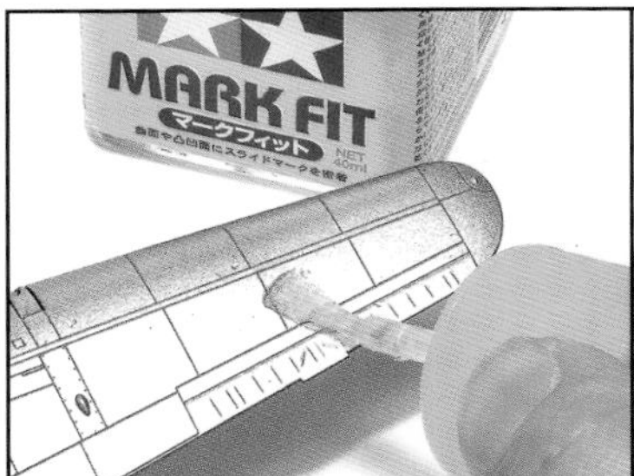

接着剤のようにマークフィットのフタ裏にもハケが付いている。まず、デカールを貼る所定の位置に先回りして、このマークフィットをパーツに塗っておく

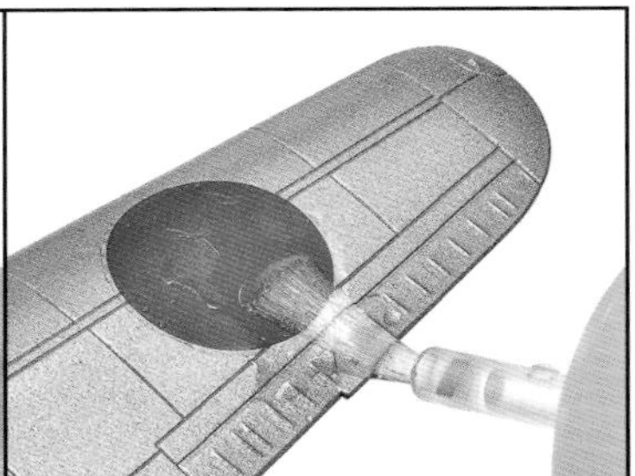

デカールを貼った後にも「追いマークフィット」をする。そうすると、さらにパーツに馴染むように。余分なマークフィットは、必ず綿棒やティッシュで素早く吸収してしまおう

STEP.01

飛燕のデカールを貼ってみよう

デカールと必要な道具が揃ったら実際に貼ってみよう。飛燕のデカールには長いラインや派手なマーキングが存在する。
これを貼ると、銀一色だった模型がいきなり鮮やかでかっこいい飛行機に変身するぞ！

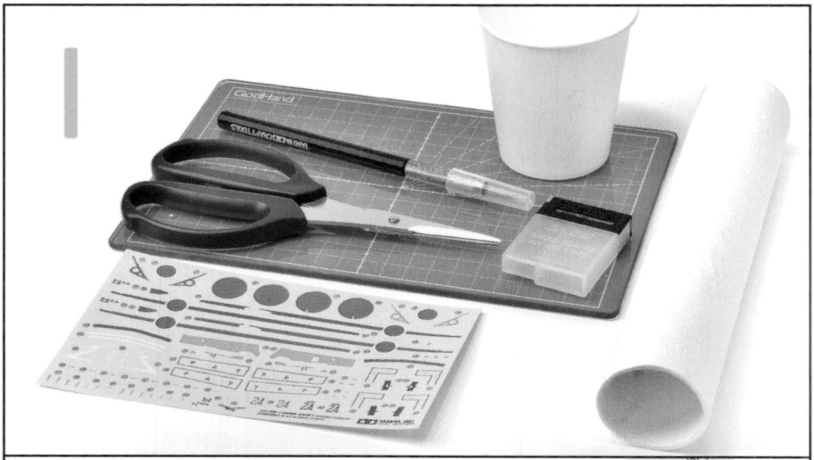

デカールを貼るための準備はOKですか?

ハサミ、デザインナイフ、カッティングマットなどなど、デカールを貼る時に必要なマテリアルは揃っているかな？　デカール貼りは手数を少なくすればするほどキレイに貼れるので、無駄な動きが無いようにしっかりと準備してから臨もう

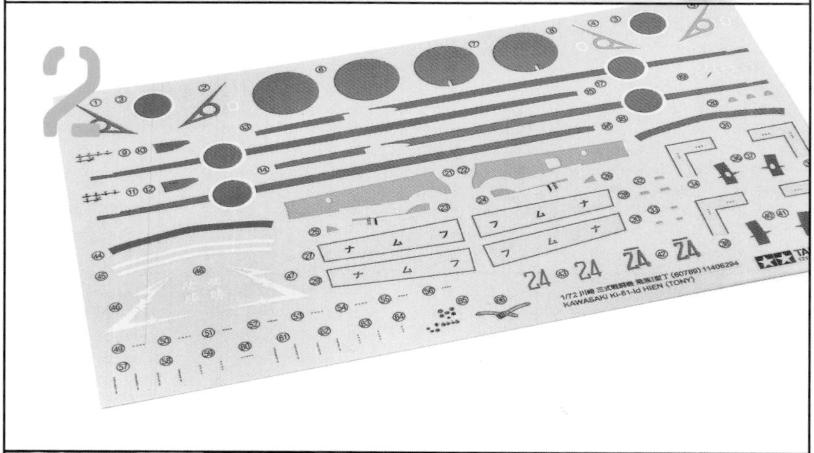

デカールの状態をチェックしよう!

デカールの台紙が反っていたり、なかのデカールが割れていないかよく見ておこう。使う直前までキットのなかに入っているデカール保護用の紙と一緒に保存しておくと、キレイな状態を保てる

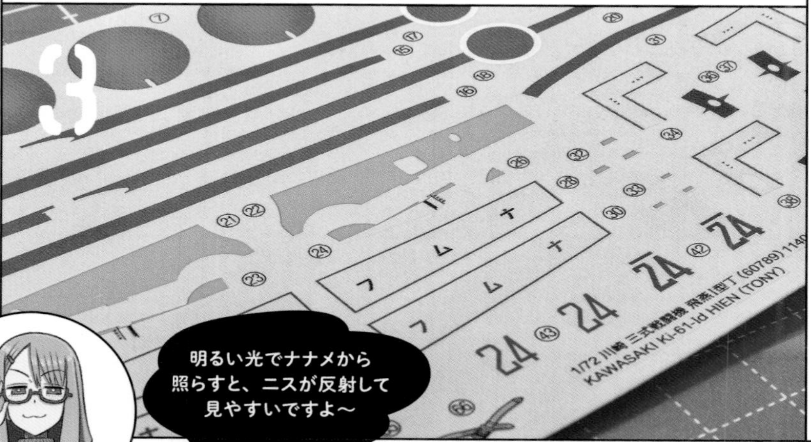

デカールのニスをしっかり確認しましょう

デカールには文字とマーキングがひとつに繋がっている物がある。良～く見ると薄いニスの層が繋がっているぞ。このニスの層をしっかりと見て使用するデカールをハサミやデザインナイフでカットしていく

デカールを貼るために水を準備します

デカールは、水につけることで台紙からマーキングが浮いてくるよ。水は紙コップなどに入れて用意しよう

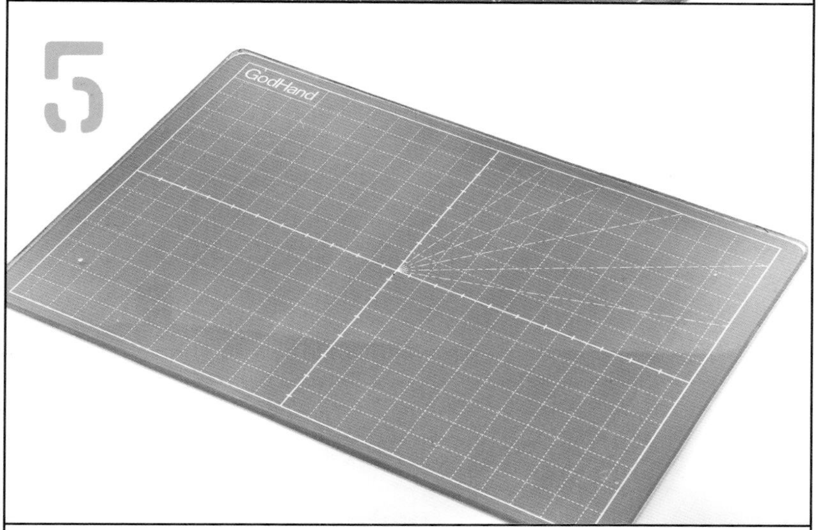

カッティングマットがあると便利だよ

デカールをカットする際、小さいマーキングはデザインナイフでカットすることが多い。そんな時にカッティングマットを敷いておけば、下の机を傷つけることなく切り出すことができる

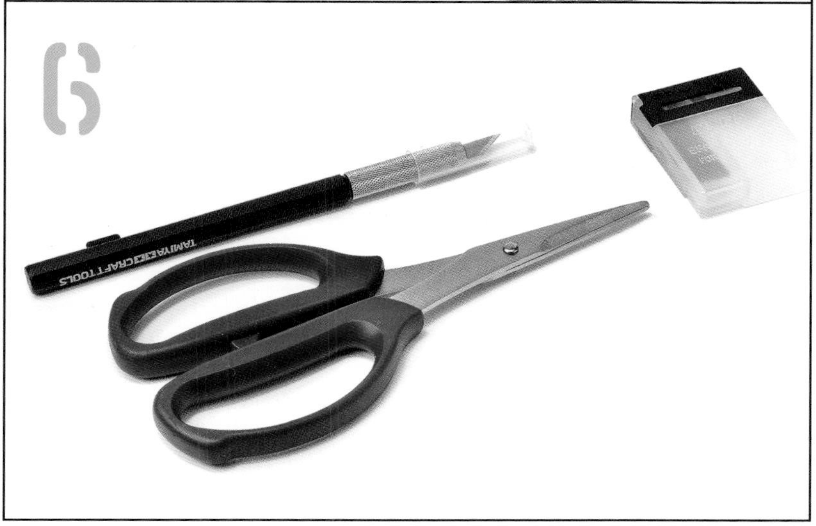

デカールの切り出しは、ハサミとデザインナイフを併用する

大きなマーキングはハサミでカットする。けれど小さなマーキングはハサミだとカットするのが難しいので、デザインナイフを使用するのがオススメだ。切れ味が落ちるとキレイにカットできないので、替え刃もしっかり準備しておこう

STEP.02

デカールはどこに貼るの?
説明書のデカール指示を見つけよう

パーツ番号や塗装指示のように、説明書にはデカールを貼る場所と使用するデカールの番号が明記されている。デカール指示を説明書から見つけてみよう

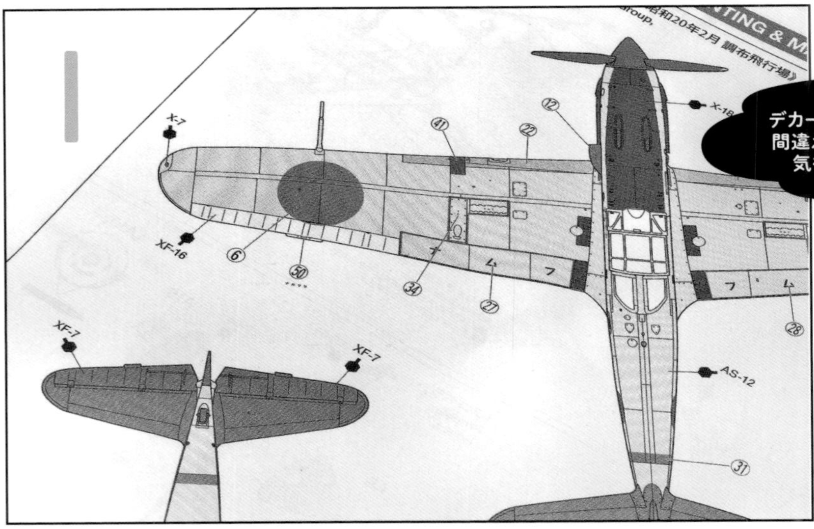

塗装図をチェック!

デカールの指示がまとまって掲載されているのが塗装図だ。デカールを貼る時に確認するのは「○囲みされた番号」だけ。この番号のデカールをデカール台紙から探し出して、指示されている位置に貼っていくんだ

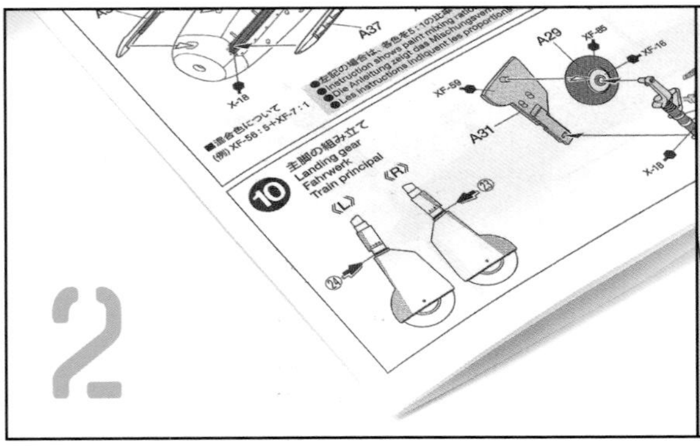

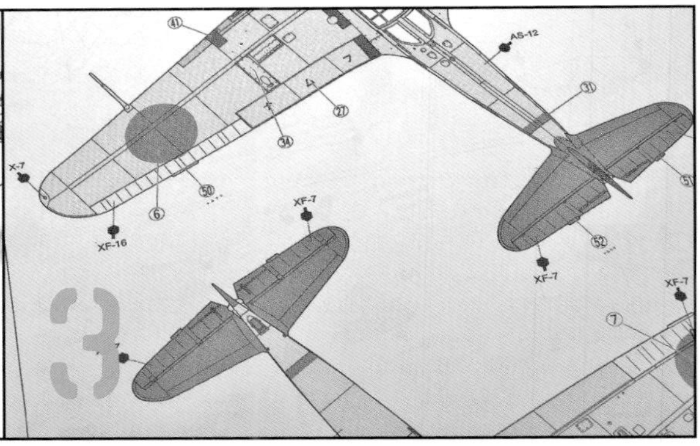

組み立てパートにも
デカール指示は潜んでいるぞ

塗装図だけでなく、組み立てパート内にもデカール指示があることも。このような指示は塗装図だけでは指示しきれない場合に登場している。他の指示と混同されないように二重の矢印とデカール番号が併記されているね

まずは日の丸を
貼ってみよう

それでは、次の工程から日の丸を貼っていこう。6番のデカールを台紙から切り出して貼っていく。貼る位置はパネルラインなどのディテールを目印にして決めよう。大体の位置が合っていれば変に見えないから、自分で分かりやすい目印を見つけながら貼っていくといいぞ

STEP.03

初めてのデカール貼りに挑戦だ

ここからは実際に貼っていくぞ。無理に力を入れたりするとデカールは破けてしまうので、とにかく慌てないことが大事。慣れるまではじっくり進めていこう

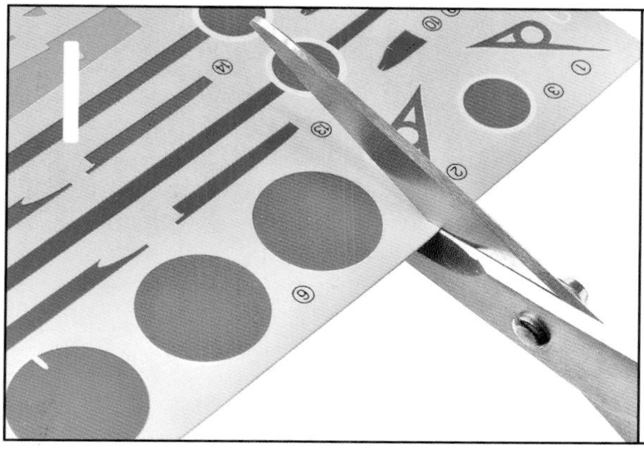

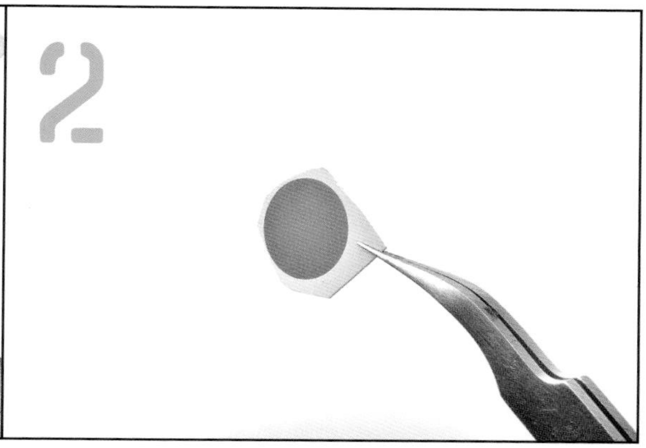

使うところだけ切り離そう

まずは日の丸デカールを貼る。ハサミを使用してこの部分だけデカール台紙からカットする。マーキング部分をカットしないように気を付けよう

切り出し成功

日の丸だけ切り出せたら、次はデカールを水に浸す。デカールを扱う時はピンセットを使用するとマーキングが汚れなくていいぞ

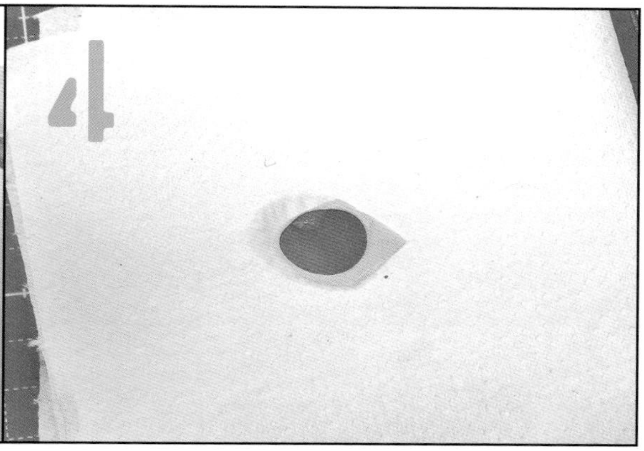

コップの中の水に潜らせる

カットした日の丸を紙コップの水のなかにしっかりと潜らせたら、すぐに引き上げよう

ペーパータオルの上に置いて余分な水分を吸わせよう

引き上げたデカールはすぐにペーパータオルの上に置いて余分な水分を吸わせよう。このまま待っているとデカールが台紙から浮いてくるんだ

STEP.04

デカールを台紙からずらしてパーツに貼る

水に浸してから1分から3分もすれば台紙からデカールが浮いてきて貼れる状態に。軽く指で触ったりしてみて、デカールが動くかチェックしてみよう。簡単に動くようなら、それはもう貼ってOKのサインだ

1

デカールに触れる場合は指を濡らしておこう

デカールは指が乾いているとピタッと指に貼りついてしまう。それを防ぐために少し指を水で湿らせておこう。これだけでデカールの取り回しがとっても楽になるよ

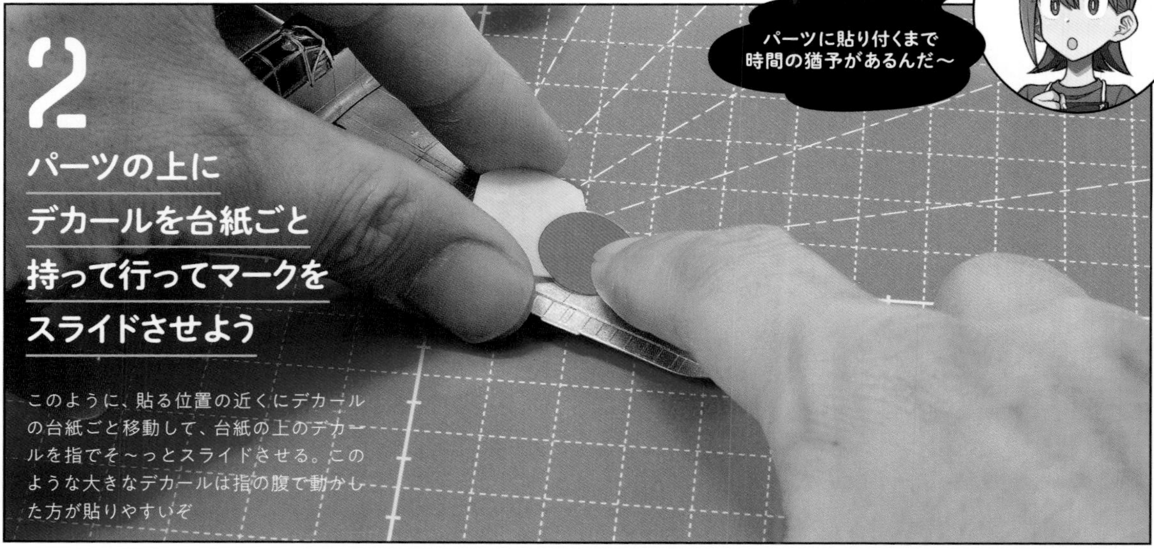

2

パーツの上にデカールを台紙ごと持って行ってマークをスライドさせよう

このように、貼る位置の近くにデカールの台紙ごと移動して、台紙の上のデカールを指でそ～っとスライドさせる。このような大きなデカールは指の腹で動かした方が貼りやすいぞ

所定の位置に置けました!

デカールを指示通りの位置に置くことができた！　位置に問題なければ、この後綿棒で余分な水分を吸い取りながら、パーツに密着させていく。位置がずれてしまったら、水を数滴垂らすとデカールを自由に動かせるようになるよ

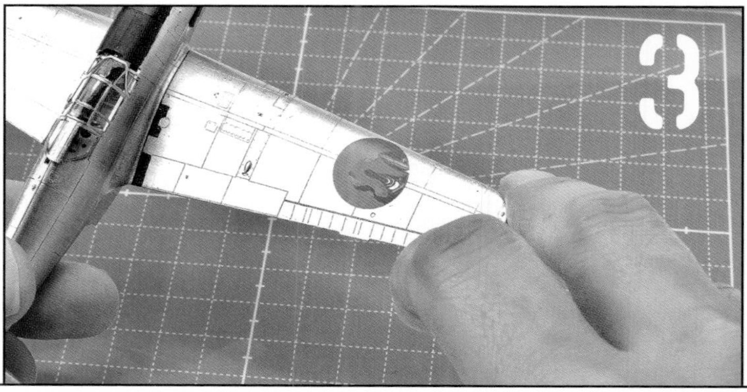

3

4 塗装図がプラモデルと同じ大きさのことも

タミヤのプラモデルの塗装図は、組み上がったプラモデルと同じ大きさ（実寸大）で描かれていることがあるよ。飛燕を上に重ねて見れば、マーキングの位置が大体あっているかチェックもできるぞ

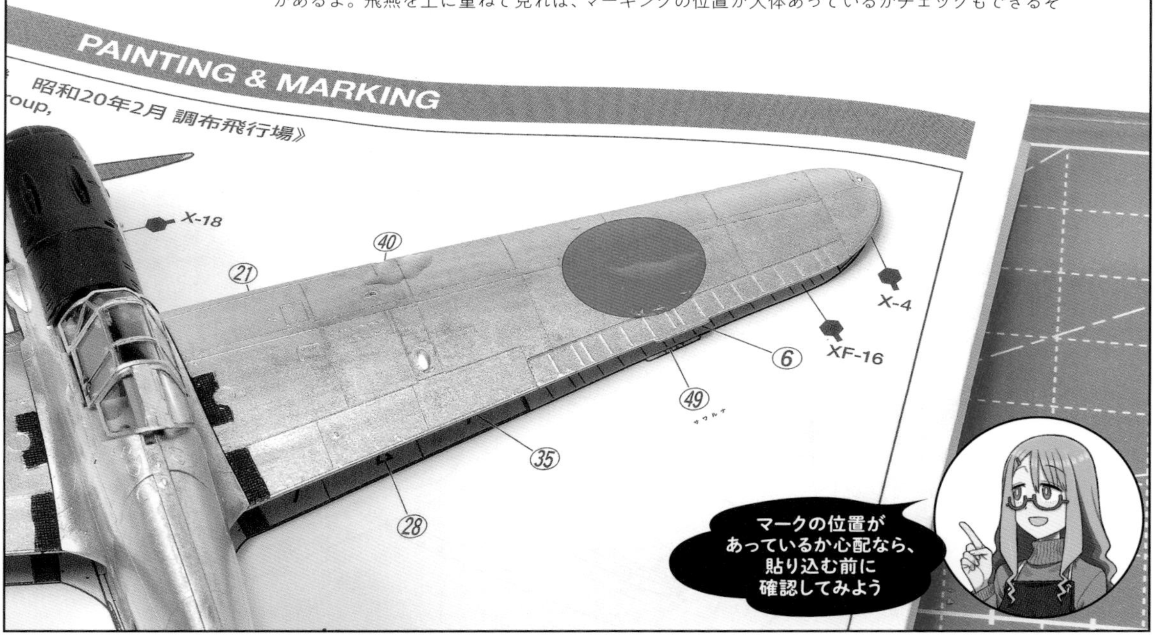

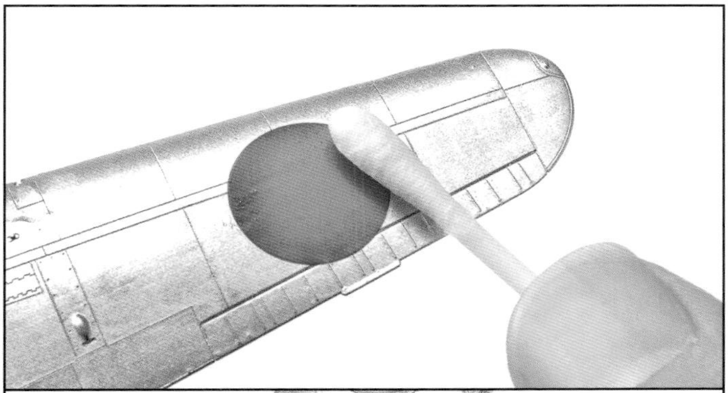

5 デカールの上で優しく綿棒を転がそう

デカールを密着させるときは綿棒を使用する。綿棒を優しくコロコロとデカールの上で転がすようにしよう。余分な水分が抜けて、デカールとパーツが密着するぞ

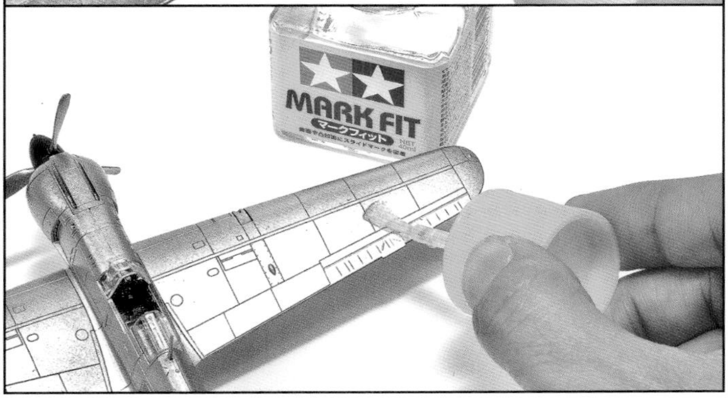

6 うまく貼れないときは、マークフィットを使用しよう

デカールがパーツにうまく密着しない、浮いてくるという場合は、デカールをより密着させてくれる別売りのマークフィットを使ってみよう。デカールを貼ってから塗っても良いし、貼る場所に最初から塗っておいて、その上からデカールを貼ってもOK。その後、綿棒でクルクルとデカールを押し付けながら密着させてあげよう

STEP.05

デカールの重ね貼りに注意!

デカールの上に、さらに別のデカールを貼るということが飛行機模型では度々登場する。飛燕では主翼の翼の黄色いライン（これを識別帯と呼ぶよ）の上に赤い帯のデカールを貼り込むのだけど、重ねて貼る場合はしっかりと説明書を読んで、貼る順番に気を付けよう

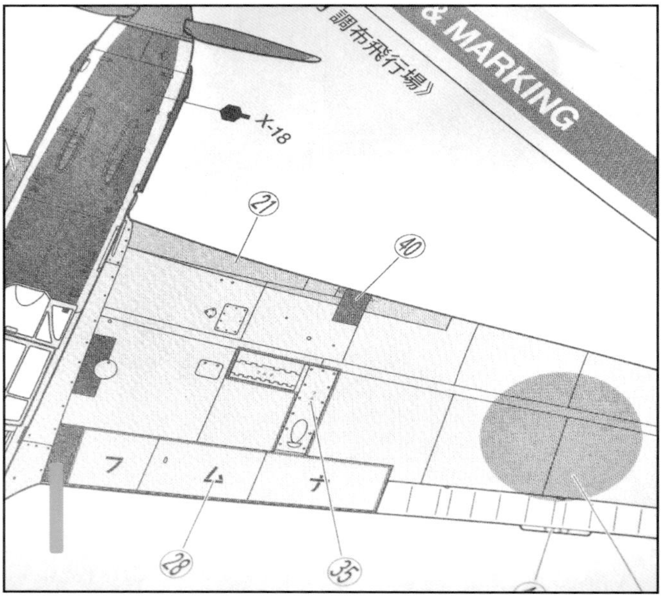

デカールを貼る順番に気を付けてね!

塗装図を見ると21番のデカールの上に、40番のデカールが上貼りされている。このようにデカールを重ねて貼る場合は順番があるので気を付けて！

識別帯を翼に貼ろう。デカールには機銃の部分に穴が開いているから、この穴と機銃のディテールを合わせるとキレイに貼ることができるよ

デカールを重ね貼りする時は、下のデカールがしっかりと乾いてから貼ろう。乾いていないうちにデカールを重ねると、貼り込んでる最中に下のデカールもずれたりして大変なんだ

細かいデカールはデザインナイフでカットしよう!!

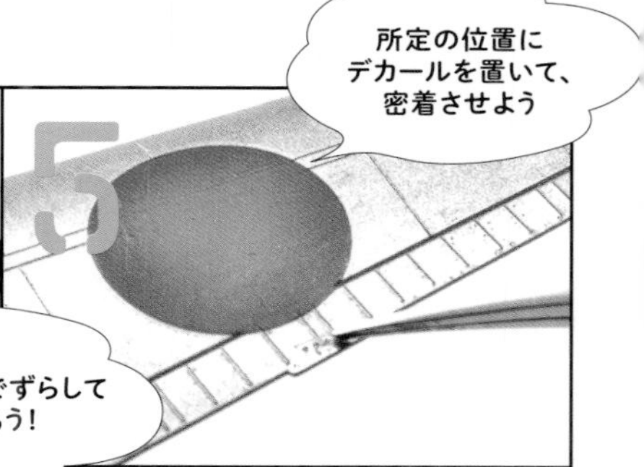

飛燕にはとても小さなマーキングもデカールで再現されている。マーキングのニスを目印にして丁寧にデザインナイフでカットしていこう

小さなマーキングは指で扱うよりも、ピンセットを使おう。水に浸してから、デカールが動くようになったらピンセットでマーキングをつまんで台紙からずらす

デカールを所定の位置に持っていき、その後に綿棒で優しく表面をコロコロしてパーツに密着させる

胴体の帯にチャレンジ

飛燕のデカールで最長の胴体ライン。ラインは数本に分割されていて、一番長いラインを最初に貼り、それをガイドにするとまっすぐ貼りやすい。いきなり貼らずに、カットしたデカールを胴体に仮り合わせしてイメージを固めるようにしよう

長いデカールの扱いはより慎重に

デカールを密着させるために綿棒で余分な水分を取りながら密着させる。長いラインは綿棒が引っかかるとクネクネと動くことがあるから、力を入れすぎないようにしよう

一枚貼り終わったぞ！

長いラインと日の丸が一体になったデカール貼りが完了。このラインをもとに、機首に向かって伸びる赤いラインも貼り込もう

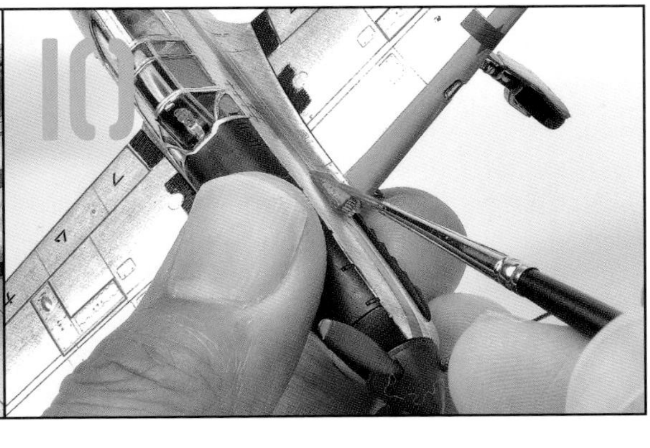

過給機空気取り入れ口のデカールの修正

機首左側面にある過給機空気取り入れ口のデカールを貼ると、どうしても隙間ができてしまったよ……このままだと見映えが良くない。でもすぐにリカバリー心配ご無用！

デカールの上から赤を塗ろう

そういう時は生じた隙間を水性ホビーカラーの赤でちょんちょんと塗ってあげよう！　これだけで修正できちゃうよ。これは他のデカールの破れた箇所の修正などにも応用できるテクニックなのでぜひ覚えておこう

完成!!
タミヤ 1/72 川崎 三式戦闘機 飛燕Ⅰ型丁

全塗装で仕上げた
「あなただけのヒコーキモケイ」が目の前に!

遂にタミヤの1/72スケール 飛燕が完成！　飛行機模型は組み立て前に塗装しておくと楽な部分や、パーツをランナーから切り離さずについた状態のまま塗装をした方が楽になる方法などがあり、組んだり塗ったりを繰り返していく事がわかったかな？　そしてこの飛燕を完成させたように、他の飛行機でもこの手順は基本的には変わらない。ぜひ同じような方法で次の飛行機模型にトライしてみよう。1機目より、確実にカッコよく仕上げることができるはず。さぁ、ここからがアナタの楽しいヒコーキモケイライフの開幕だっ！

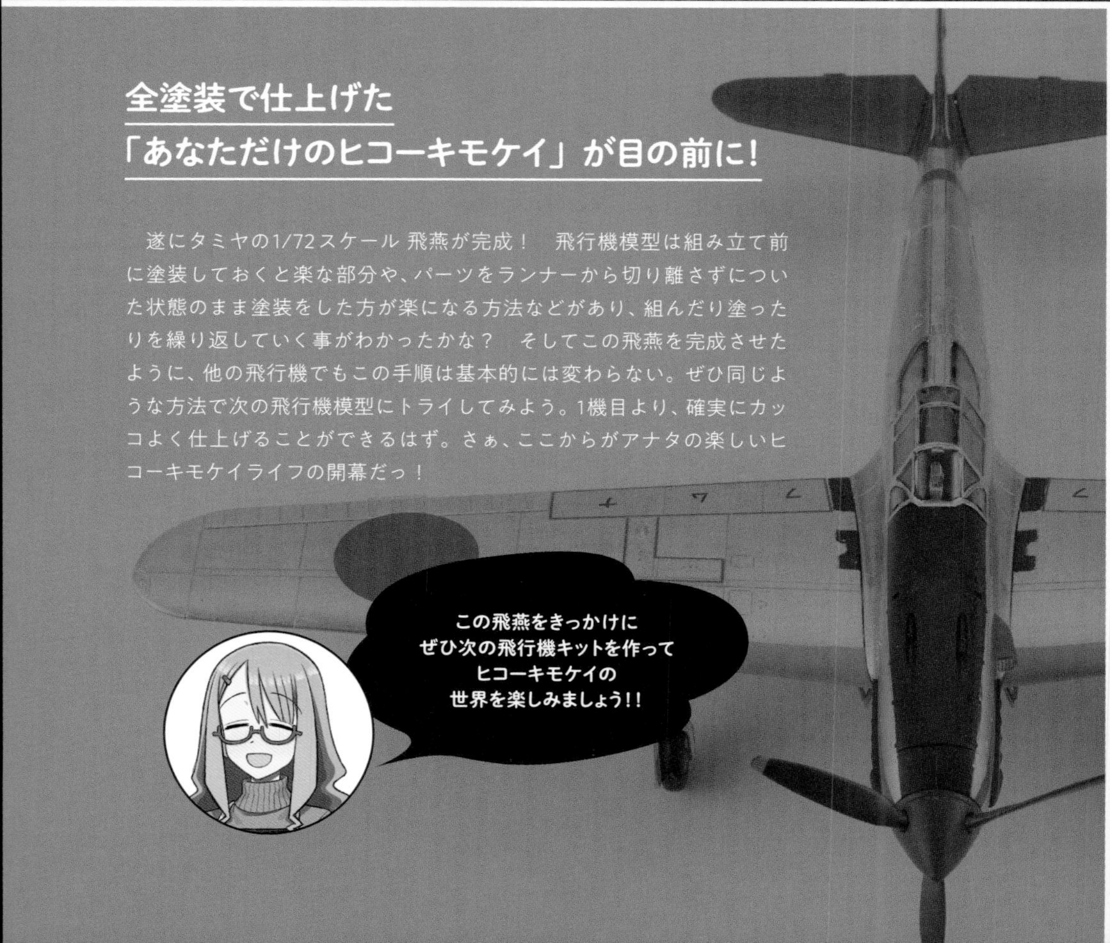

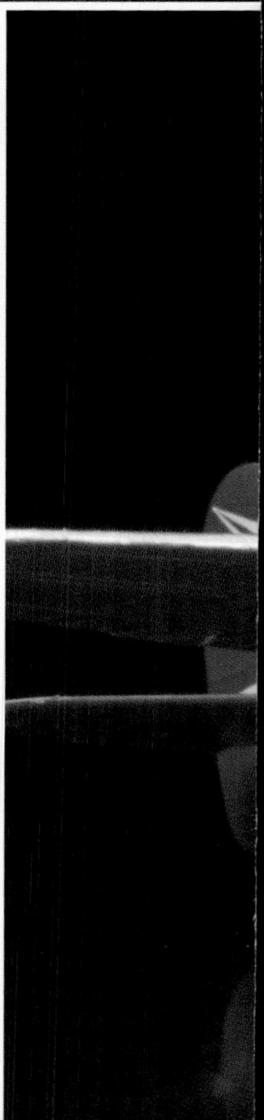

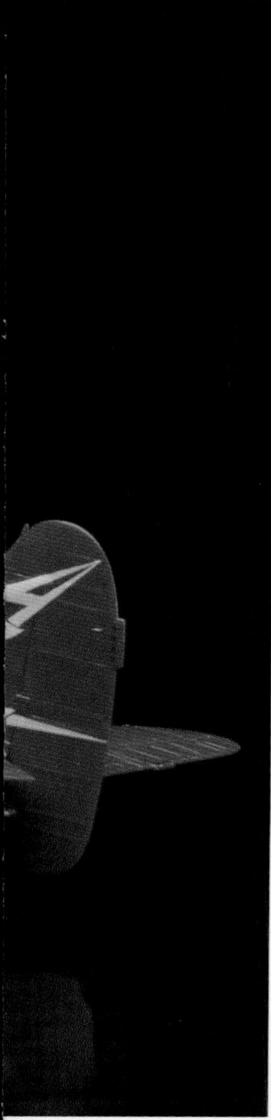

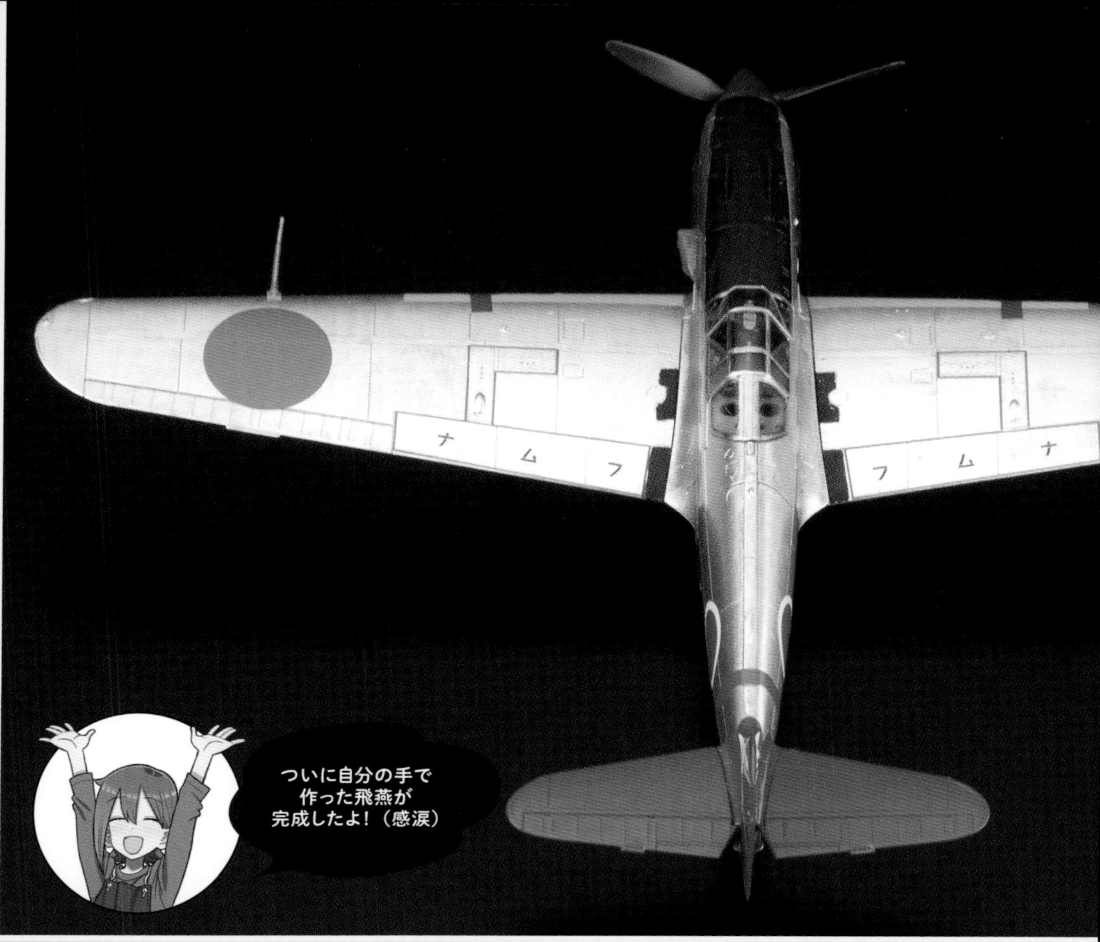
ナ ム フ
フ ム ナ
ついに自分の手で
作った飛燕が
完成したよ！（感涙）

17:18
50%
INTERMISSION
塗装してデカール貼って、私だけのヒコーキが完成！　やったー！　そういえば、模型屋さんにはまだまだたくさんのキットがあったよね……。ほかにもいろいろ挑戦してみたいな！
完成おめでとうございます～！　すっかりハマったアナタのために、ヒコーキ模型のもっと奥深いところまで教えちゃいましょっか。ここからはさらに踏み込んだ「エクストラ編」です～
TO BE CONTINUED
Aa

05

LET'S EXPLORE AN *Aircraft* MODEL!

第5章
ヒコーキモケイをもっと楽しむテクニック

ヒコーキモケイがどんどん楽しくなる
オススメテクニック!!

ここからは、もう一歩踏み込んで、さらに飛行機模型をかっこよくできるオススメのテクニックを紹介しよう。組み立て→塗装を楽しめたなら絶対に真似できるものばかり。今塗り上げたばかりの飛燕にこのまま施してもOKなテクニックもあるので、ぜひ真似してさらにかっこよく仕上げてみて！

よりリアルなパーツ形状に！「合わせ目消し」

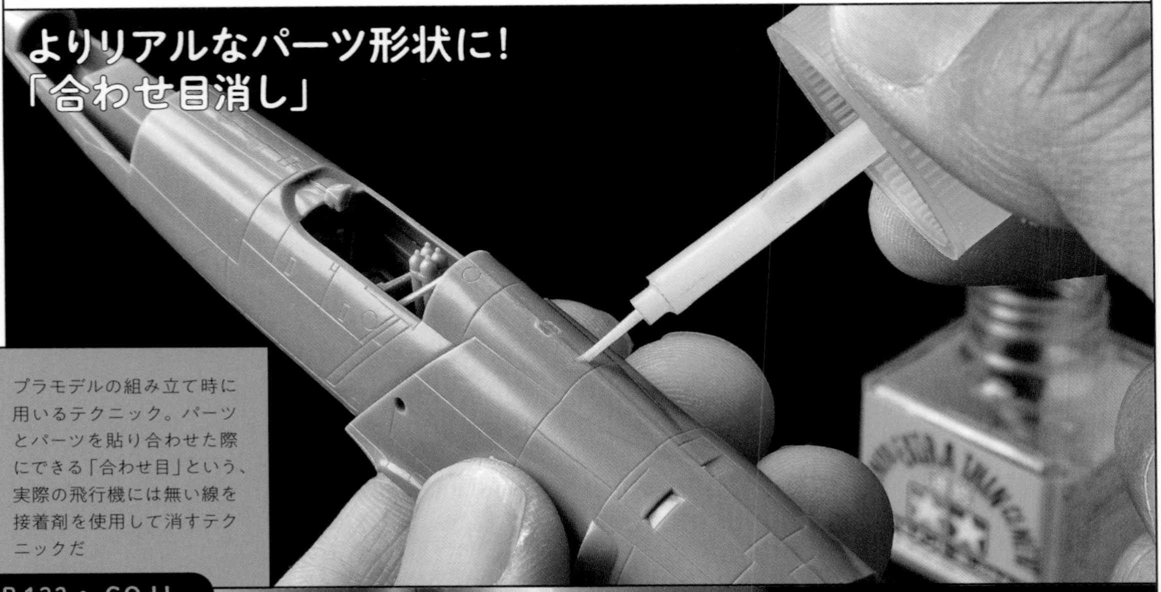

プラモデルの組み立て時に用いるテクニック。パーツとパーツを貼り合わせた際にできる「合わせ目」という、実際の飛行機には無い線を接着剤を使用して消すテクニックだ

P.132 へ GO !!

「缶スプレー」でヒコーキモケイを塗ってみる！

たくさんの塗料を一気に吹き付けて色を塗ることができる缶スプレー塗装。本書で思う存分筆塗りを楽しんだら、次は缶スプレー塗装に挑戦してみよう

P.136 へ GO !!

P.142へGO!!

タミヤのスミ入れ専用塗料を使用して、翼や胴体に彫刻されたパネルラインに塗料を流し込む「スミ入れ」にチャレンジしてみよう

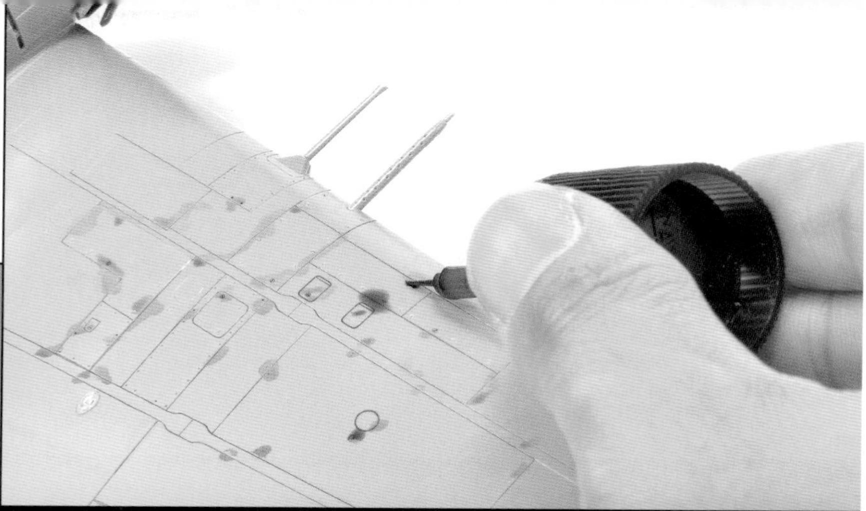

飛行機模型にかっこいい汚しを加えてみよう!

ウォッシング!?
タミヤのスミ入れ塗料を使って飛行機全体に薄～い汚れを施してみよう

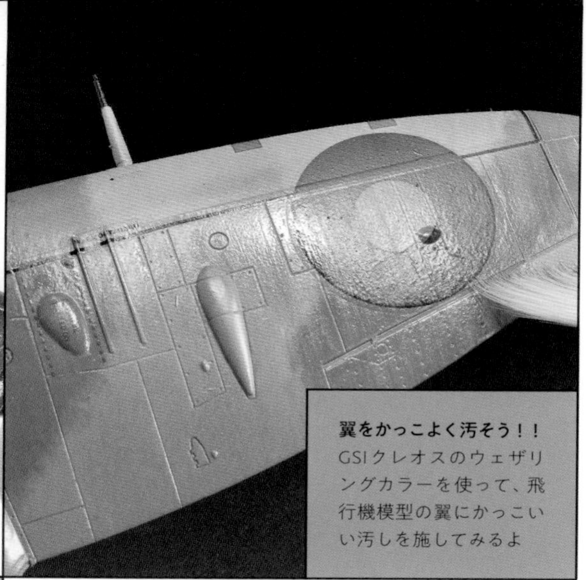

翼をかっこよく汚そう!!
GSIクレオスのウェザリングカラーを使って、飛行機模型の翼にかっこいい汚しを施してみるよ

スポンジでかっこよく汚せる!?
スポンジや筆で「銀」をちょんちょんと塗ると、リアルな汚れが演出できるぞ

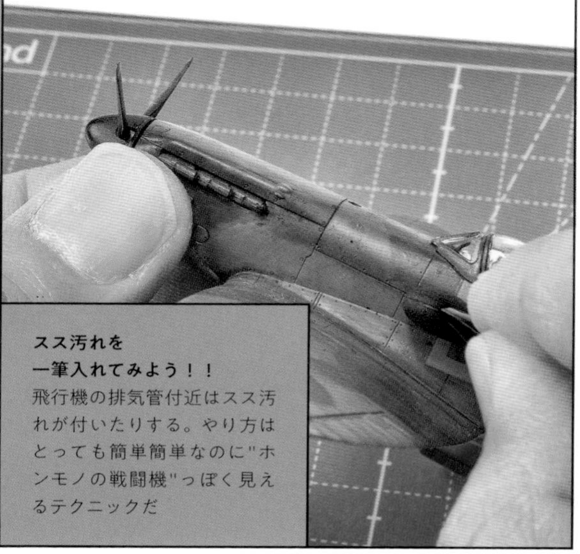

スス汚れを一筆入れてみよう!!
飛行機の排気管付近はスス汚れが付いたりする。やり方はとっても簡単簡単なのに"ホンモノの戦闘機"っぽく見えるテクニックだ

STEP.01

合わせ目消しに
使用する道具は
こちら

見た目がアップする!?
合わせ目消しにチャレンジしてみよう!

パーツ同士を接着すると、どうしてもできてしまう「合わせ目」。接着剤がはみ出て汚れて見えたり、塗装した後でも目立っちゃったりする合わせ目だけど、消し方をマスターするとヒコーキ模型の完成度がグッと高まるんだ！　難しそうにみえて意外とカンタンな合わせ目消しのやり方を紹介するよ！

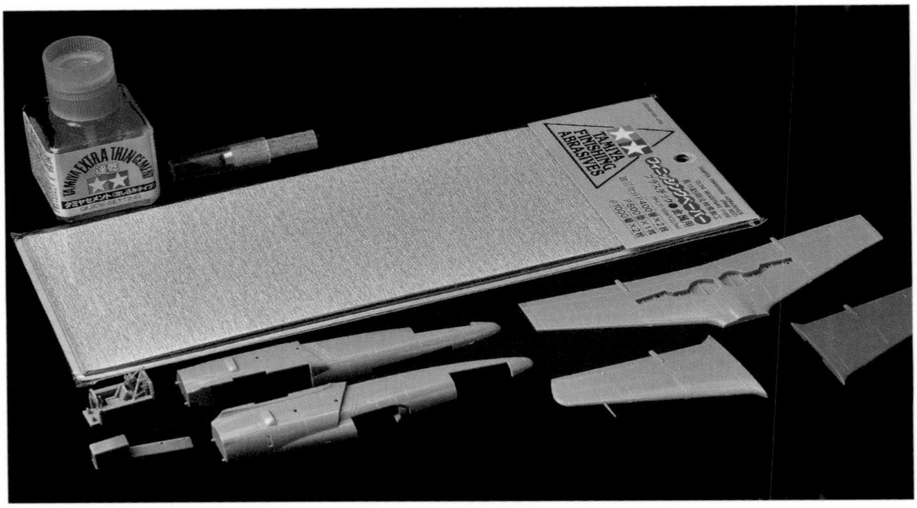

紙ヤスリ

デザインナイフ

流し込み接着剤

合わせ目って何??

パーツ同士が接した場所に うっすらと線が……

パーツとパーツが合わさった部分にスジができてる

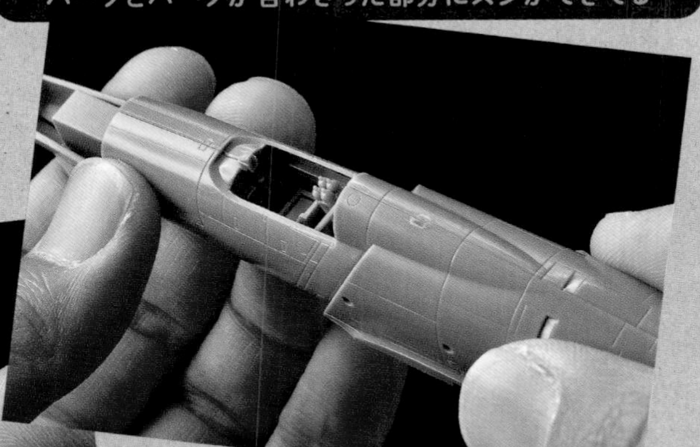

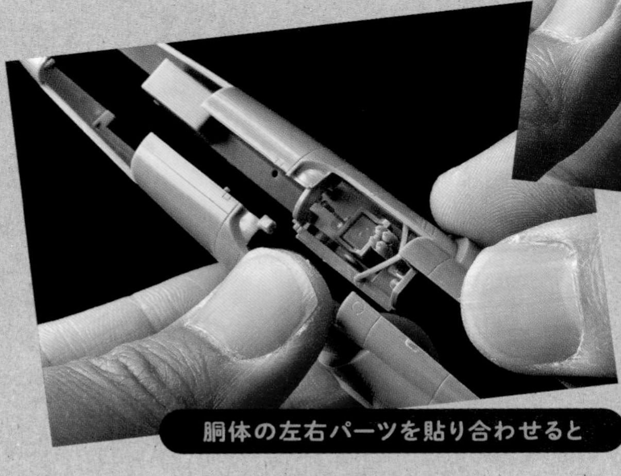

胴体の左右パーツを貼り合わせると

パーツとパーツ同士が合わさる面にできるのが「合わせ目」。接着剤を流してキレイに貼れていても、パーツのほんの少しのズレで、うっすらとじた線ができてしまう。実際の飛行機には存在しないこの「合わせ目」を消すことができると、より本物に近くなってヒコーキモケイの見映えがよくなるぞ

胴体の合わせ目を消してみよう!!

合わせ目消しの1手目は流し込み接着剤

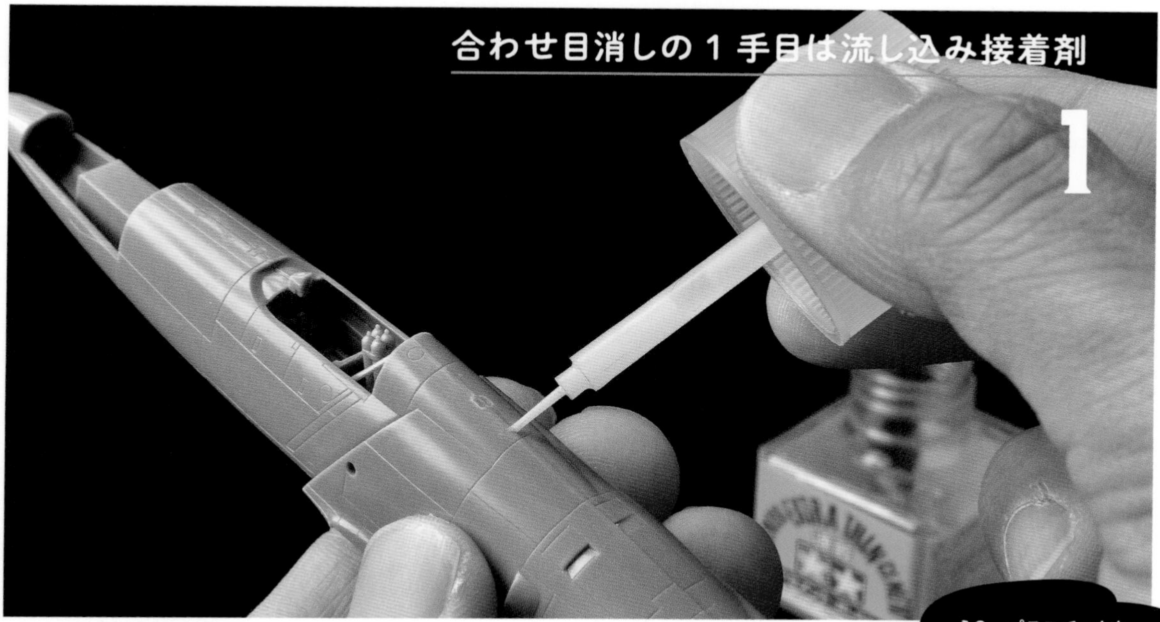

パーツ同士を貼り合わせる接着剤が合わせ目消しのカギを握っている。プラモデル用接着剤は、「プラスチックを溶かして」パーツを接着するんだ。接着剤で溶けたプラスチックが合わせ目を埋めてくれるんだね

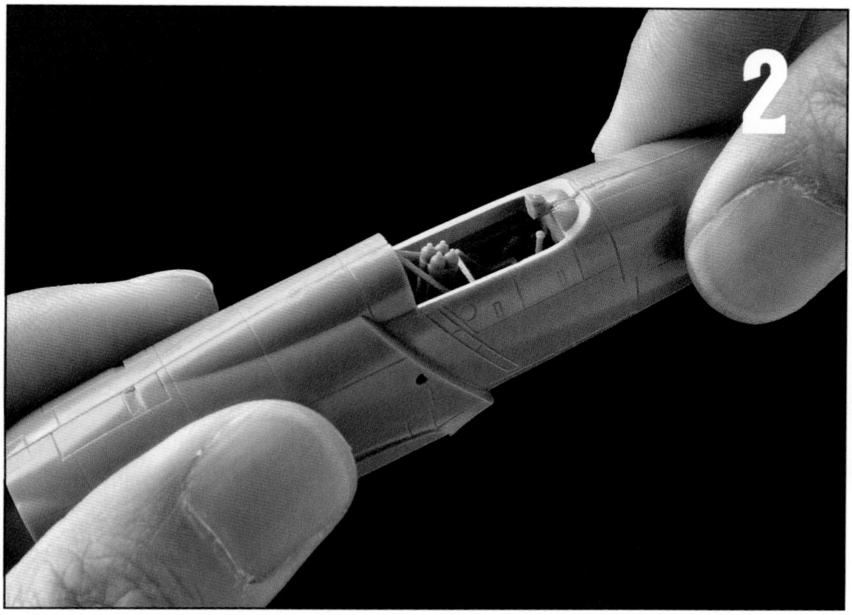

しっかりとパーツを左右から力を入れて貼り合わせよう!

接着剤を流し込んだら、胴体の両サイドからぐっと力を入れて貼り合わせる。合わせ目から少し接着剤がはみ出てきてもOK！　このまま接着剤が乾燥するまで触らないで待っててね

STEP.02　胴体の合わせ目を消してみよう!!

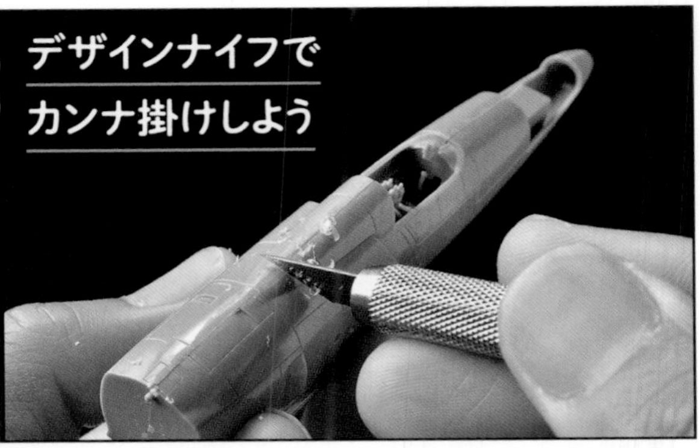

3 接着剤が少し盛り上がって固まっているのがわかるかな？この表面を削り取ることで、固まった接着剤がパーツ同士の隙間をふさいで合わせ目を消してくれる

4 デザインナイフの刃を立てて横に滑らせると、カンナのようにパーツを削ることができる。この手法で合わせ目の上面を削ってあげよう

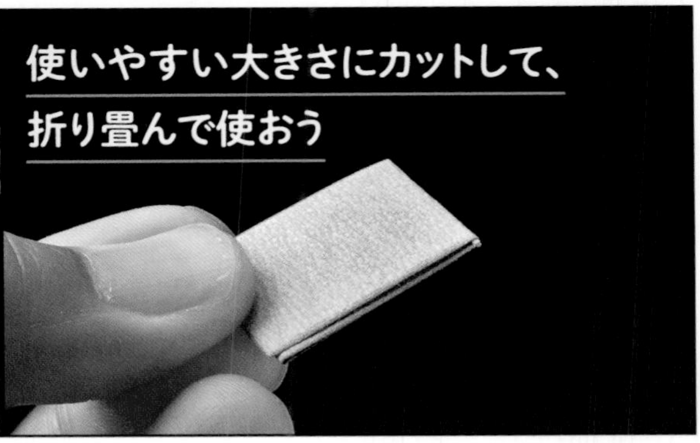

5 カンナ掛けで表面が削れたら、合わせ目は消えてきたけど表面が粗れているので紙ヤスリで整えよう

6 紙ヤスリは写真のように使いやすい大きさにカットしてから折り畳んで、紙ヤスリ自体に厚みを出すと使いやすい

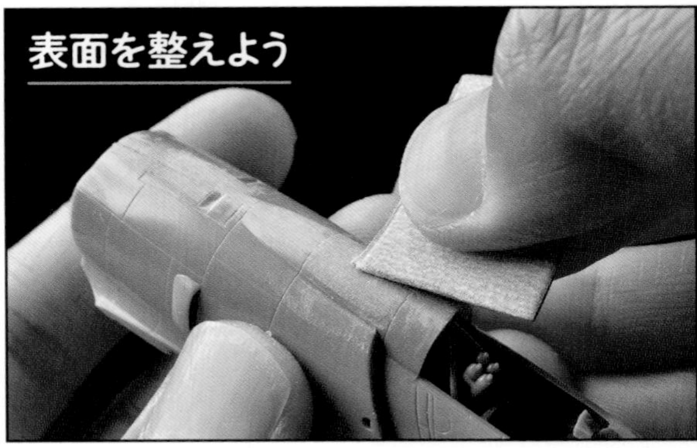

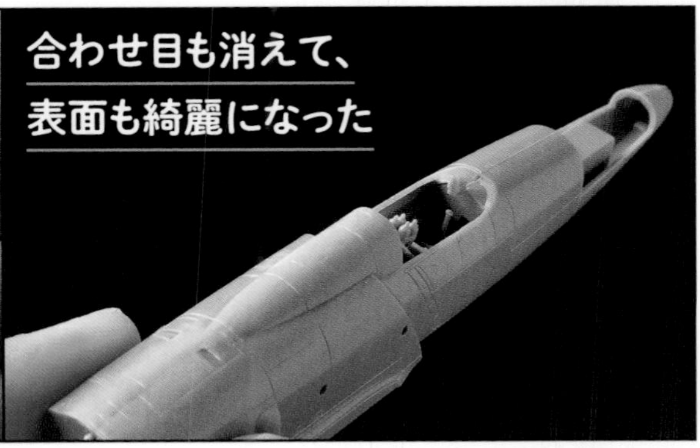

7 紙ヤスリは600番を使用。力を入れずにパーツを撫でるように削るのがポイントだ

8 紙ヤスリをかけてパーツの形状が滑らかになった。胴体の他の部分も同じ方法で合わせ目を消していこう

STEP.03

主翼の合わせ目消しにチャレンジ！

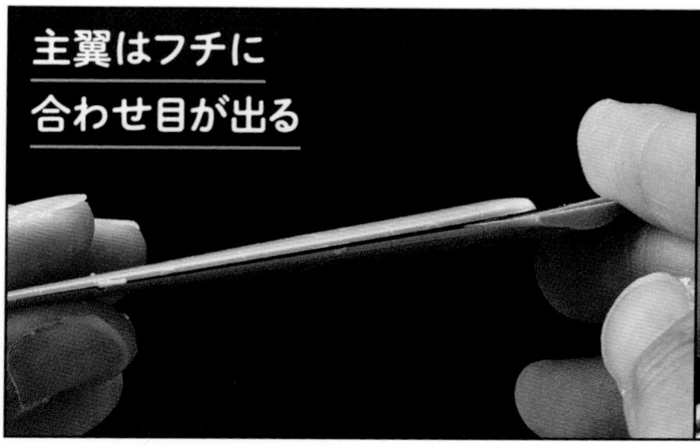

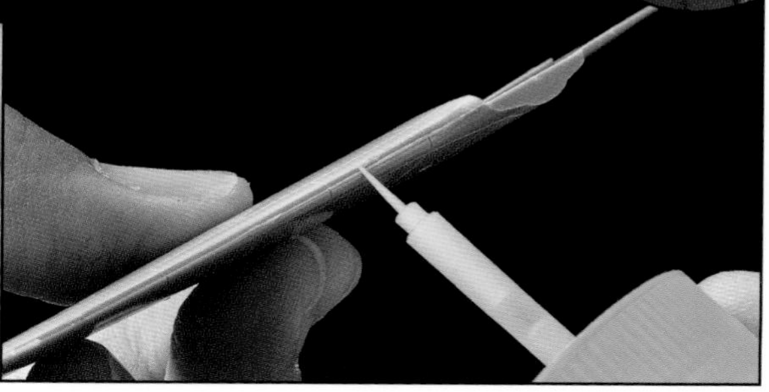

1 飛行機模型の主翼は上下で分割されることが多い。そのため翼のフチの周囲に合わせ目が来ることが多いんだ

2 翼の上下の合わせ目に接着剤を流し込む。翼の上面や下面にはみ出したりしないように気を付けよう

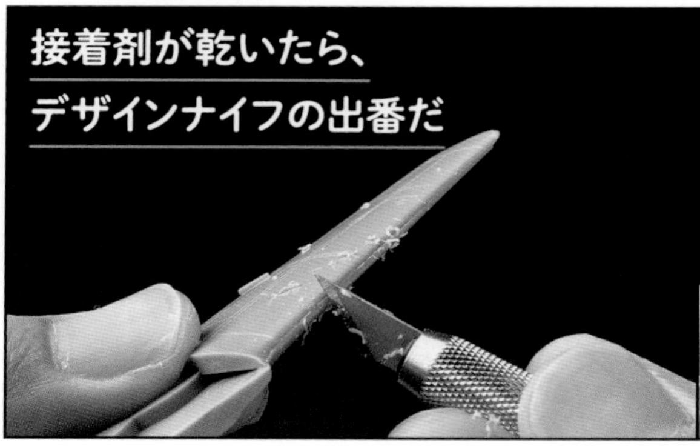

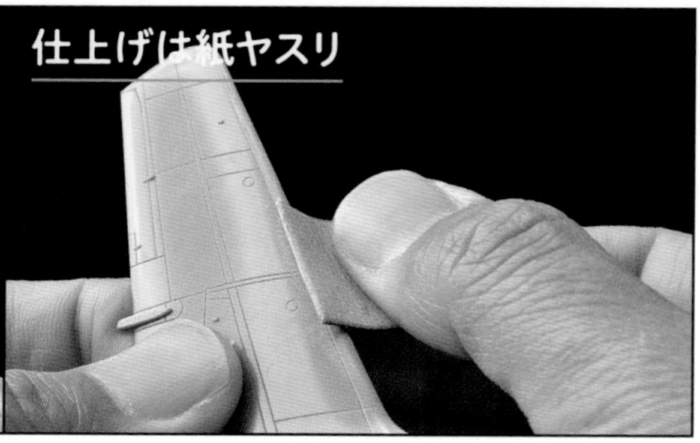

3 合わせ目に流し込んだ接着剤が乾いたら、デザインナイフの刃を合わせ目の上で横にスライドさせて表面を削り取る。これで大体の合わせ目が消えるよ

4 デザインナイフで大まかに処理したら、紙ヤスリで表面の形を整える。これで翼の合わせ目消しは完了だ

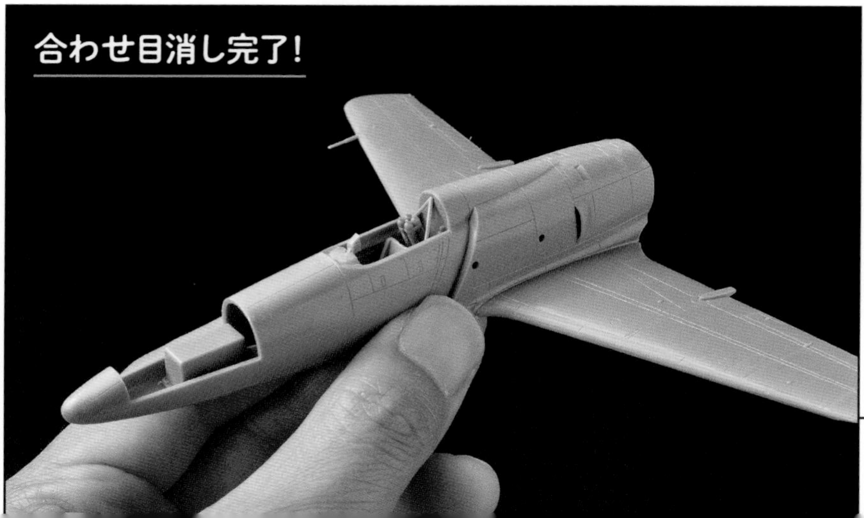

5

合わせ目消しをすると、実機のようにパーツの一体感が増してよりかっこよくなる。特に胴体と主翼の合わせ目を消すと見違えるようになるから、ぜひチャレンジしてみてね

STEP.04

缶スプレーの塗装は気持ちがいいよ!

プラモデルの塗装には筆塗りの他に「缶スプレー」塗装と言う方法も。大量の塗料を一気に吹き付けることができて、正しく使えば短時間でカッコよくキレイに塗装ができる。メインカラーを缶スプレーで塗って細かい場所を筆塗りで塗っていくのも楽しいぞ。また今回ご紹介する「銀スプレー一気塗り」は、どの飛行機でもかっこよくなる魔法の楽しみ方。本当に楽しいのでぜひやってみて！

缶スプレー塗装は、換気をしっかりして行なおう。最低限必要な道具と、缶スプレーの使い方を紹介していく

1

手に入りやすい缶スプレーはこの2種

模型用の缶スプレーで、多くの模型店で購入できるのがGSIクレオスの「Mr.カラースプレー」(手前)とタミヤの「タミヤスプレー」(奥)。どちらも豊富な色数がラインナップされているぞ

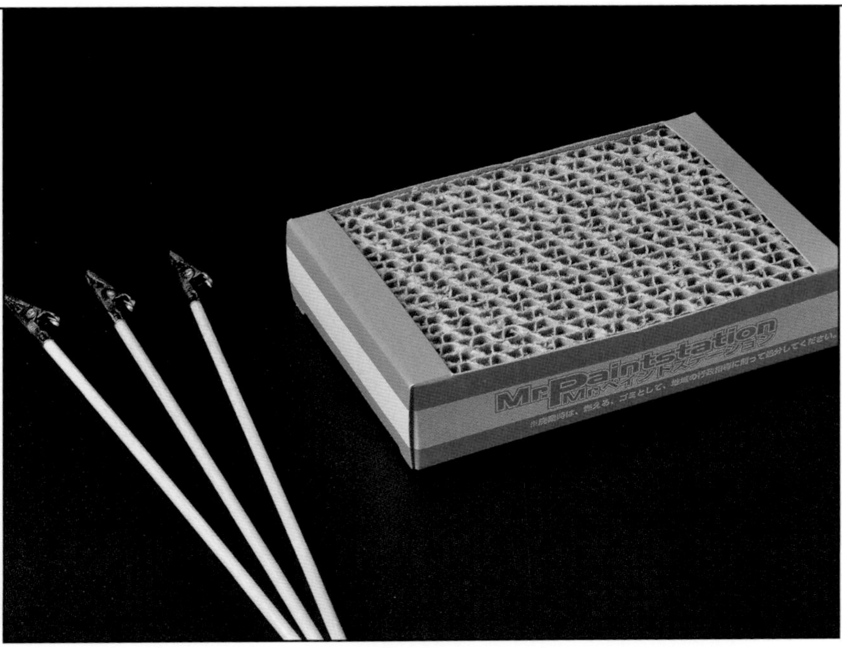

2

缶スプレー塗装は持ち手とペイントベースを準備しよう

缶スプレー塗装の時は、筆塗りのように手でもって塗装するのはやめよう。割りばしや、模型用に販売されているクリップ付きの持ち手に固定して塗装しよう。また、塗装後に持ち手を立てて置けるペイントブースがあるとさらに便利

塗装がしやすい場所に持ち手を固定しよう

パーツをしっかりと固定できて、持ちやすい場所にを探して持ち手を付けよう。クリップ付きの持ち手はパーツを挟んで固定するだけでOK

3

4

塗装前は、缶をよ～～～く振ろう

瓶の塗料と同じように、缶スプレーのなかの塗料も使用前にしっかりと混ぜよう。缶スプレーのなかには攪拌用のボールが入っているので、振るとカラカラと音がする。リズミカルな音を奏でて、よ～く缶スプレーを振ってみてね。1分ぐらい振ったら塗装開始！

5

銀を塗る時は下地に黒を吹いてみよう

ちょっとだけオススメテクニック。銀をキレイに発色させるのに、下地に黒を吹くと透けが無くて重厚なシルバーになるよ。これだけでとってもカッコいい雰囲気になるからやってみてね

距離は 20cm くらい離して、シュッシュと数回に分けて吹くよ

缶スプレーは手首のスナップを効かせて、横にシュッシュと動かしながら塗ろう。一か所にどば～っと塗ってしまうと、とても厚塗りになって失敗してしまう

6

模型を持つ角度を変えて、様々な方向から吹きつけよう

持ち手で固定した模型を、缶スプレーに対して様々な向き・角度にして全体に均一に塗料が吹き付けられるようにしよう。だんだんキレイに銀が発色してきた！

7

8

銀一色がもたらしてくれる最高の成功体験！

乾燥時間も含めて30分でこんなにかっこいい飛行機模型ができた！　缶スプレー塗装はムラなくとってもきれいな塗面になるので、自分がとても模型が上手になった感じにさせてくれるよ。こういう成功体験はとっても大事！

スピナーとタイヤだけ塗ればさらにイイ感じになるよ！

9

最後に、タイヤとスピナーだけ黒で筆塗りしてみよう！　ほら、引き締まってカッコよくなった。缶スプレーの楽しさがダイレクトに楽しめる「銀一色塗り」を楽しんでね

あなたの好きな色で塗ってもヒコーキモケイは応えてくれる!
カッコいいと思う色を自由に塗ってみよう!

銀一色塗りのように缶スプレーでかっこいいと思う色をセレクトして塗ってみよう！
あなたが個人的に好きな色、何か好きなモチーフから拾ってきた色など自由な色で大丈夫
缶スプレー塗装で好きな色に染まった飛行機模型は世界であなただけの物。そんなお宝を自ら生み出そう！

カラフルな色でも OK だ!

フジミ模型の1/72 スピットファイアの箱絵を参考に、地味なYak-3をエアレーサー仕様で仕上げたよ。缶スプレーの使用方法は、これまでのページと同じ！　好きな缶スプレーを選び、マスキングして塗り分けを楽しめると、あなただけの飛行機模型を作ることができるよ

ソビエトの戦闘機Yak-3。実際の機体は箱絵のように地味な塗装だけど、軍用機のセオリーから抜け出したアナタが好きなオリジナルカラーを塗ってあげよう！

STEP.05

プラモデルのパーツがくっきりする スミ入れを楽しもう!

パーツに彫られた溝やディテール、パーツの凹凸や陰影を強調することができて
プラモデルがカッコよくなる塗装技法が「スミ入れ」。
とっても簡単ですごく効果的な方法なのでぜひ試してみよう

胴体の線が、黒っぽい塗料で強調されています!!

このBf109 E-3の機体にある線や溝（パネルライン）に塗料を流し込むことをスミ入れと言う。機体の線が強調されてプラモデルがシャープに見えるテクニックなんだ

翼に彫られた線もクッキリ

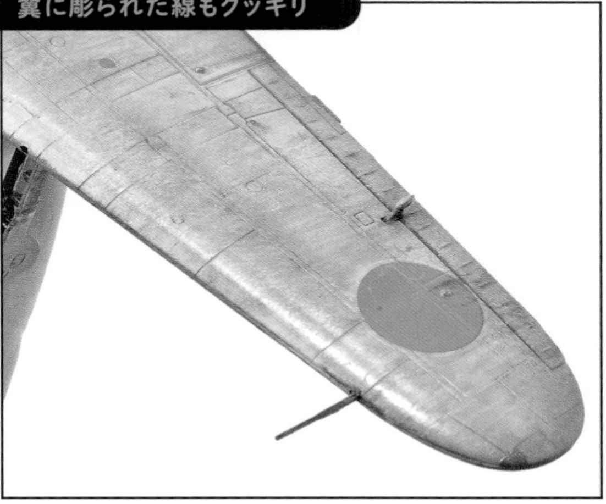

通常、塗装後に各ディテールへスミ入れを行なうよ。塗装後の翼上面のモールドにめがけてスミ入れ用の塗料を流した状態がこちら

スミ入れは塗装前でも OK!!

スミ入れに関しては、塗装前に先にディテールに流してもOK！　これが影の役割になって、上から重ね塗りするとディテール周辺にメリハリが出てかっこよくなるよ

スミ入れがすぐ楽しめる塗料はこのふたつ

タミヤのスミ入れ塗料(エナメル系)と、GSIクレオスのウェザリングカラー(油彩系)。このふたつがお手軽にスミ入れを楽しめる代表。使い方はどちらも同じで、それぞれ専用のうすめ液が存在する

タミヤがブレンドした濃度も色味も最高なスミ入れ塗料

瓶の状態でスミ入れに適した濃度で最初から販売されているとっても便利な塗料。飛行機や戦車の他、フィギュア系のプラモデルの肌に合わせた色までラインナップされている

スミ入れにおいて塗料と共に大事なのがうすめ液。特にスミ入れは「拭き取り」という工程があるから、それにうすめ液は必須なんだ。タミヤのスミ入れ塗料はエナメル系だから、タミヤエナメル溶剤を一緒に準備しよう

戦車模型のマイスターが調色したスーパー塗料

GSIクレオスのウェザリングカラーは油彩系でとっても伸びが良い。乾燥がゆっくり目でじっくりと作業ができるのも利点。日本を代表する戦車モデラー・吉岡和哉氏が監修しており、スミ入れだけでなく、カッコよく模型を汚すことができる色が多数ラインナップされている。こちらの使い方はウェザリングのコーナー(148ページ)で紹介するぞ

ウェザリングカラーを薄めたり拭き取ったするのに使用する専用うすめ液。特大サイズを買っておけば安心してバンバン使うことができるよ

零戦の翼にスミ入れをしてみよう!

ここからはタミヤのスミ入れ塗料を使用して零戦の翼にスミ入れしてみよう。翼にたくさん線状の溝があって、また装甲板が重なっている部分もある。そういう部分に塗料を流していくよ

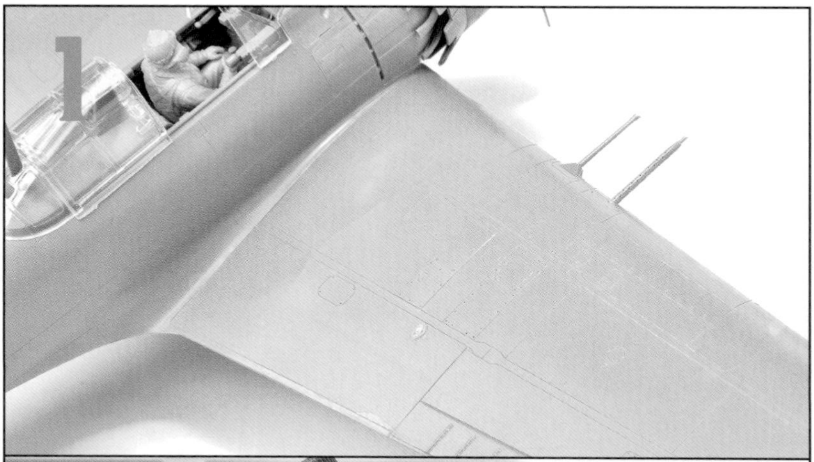

零戦の翼にスミ入れをしてみよう!

ここからはタミヤのスミ入れ塗料を使用して、零戦の主翼にスミ入れしてみるよ

オススメはダークブラウン

タミヤのスミ入れ塗料のなかでとっても汎用性の高い色が「ダークブラウン」。どんな色の模型もかっこよくスミ入れができてオススメだ

フタの裏に極細面相筆が付いているぞ

フタ裏の筆のおかげで瓶を開ければすぐにスミ入れができるぞ

筆先を線の上に チョンと置くだけ

スミ入れの方法はとっても簡単。塗料を流したい場所に筆先をチョンと置くだけ。すると線やパーツの形状に沿って塗料がさ〜っと流れていく

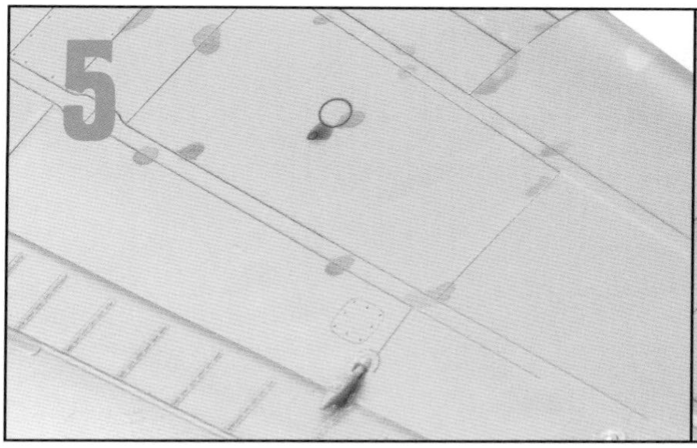

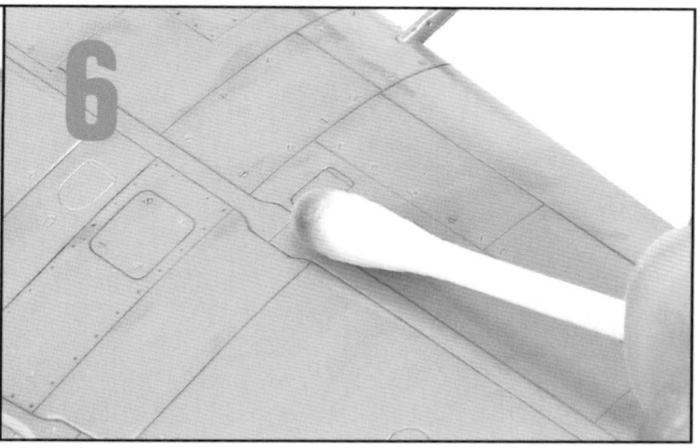

エナメルうすめ液の登場

スミ入れした直後の状態。線の周囲に豪快にはみ出している。これで全然大丈夫。エナメルうすめ液ですぐに消せるよ

エナメルうすめ液を 染み込ませた綿棒で拭き取るだけ

はみ出し部分をうすめ液をふくんだ綿棒で拭えば拭き取り完了。強く拭きすぎると線のなかの塗料まで拭き取ってしまう。表面だけ撫でるように拭き取るのがポイントだ

スミ入れ完了! 翼にメリハリが出た!

ディテール部分にダークブラウンが流れて、陰影が強調されたね。これだけの工程で模型がとってもカッコよくなるぞ

STEP.08

タミヤ スミ入れ塗料を使って「ウォッシング」を楽しもう!

タミヤがスミ入れ用として、色味と濃度を最初から調整してくれている「タミヤ スミ入れ塗料」。こちらの塗料を模型全体に塗ると、汚れた雰囲気を表現できたり、グラデーション塗装を馴染ませたりできる。このようにシャバシャバの塗料を全体に塗る技法が「ウォッシング」。飛行機模型のウェザリングでも多用される方法で、ぐっと雰囲気が増すテクニックだ

タミヤ スミ入れ塗料 ダークブラウン

スミ入れ塗料のなかでも一番の汎用性を誇るダークブラウン。マストバイな1本だ

エナメルうすめ液

スミ入れ塗料を拭き取ったり、薄めたりするのに使用する

スミ入れ塗料を全体に薄く塗ろう

ウォッシングはシャバシャバの塗料を全体に塗るのがポイント。スミ入れ塗料を翼全体に塗り広げよう。塗料が濃いと思ったら別の塗料皿にダークブラウンを移してから、エナメルうすめ液で薄めて使ってみてね

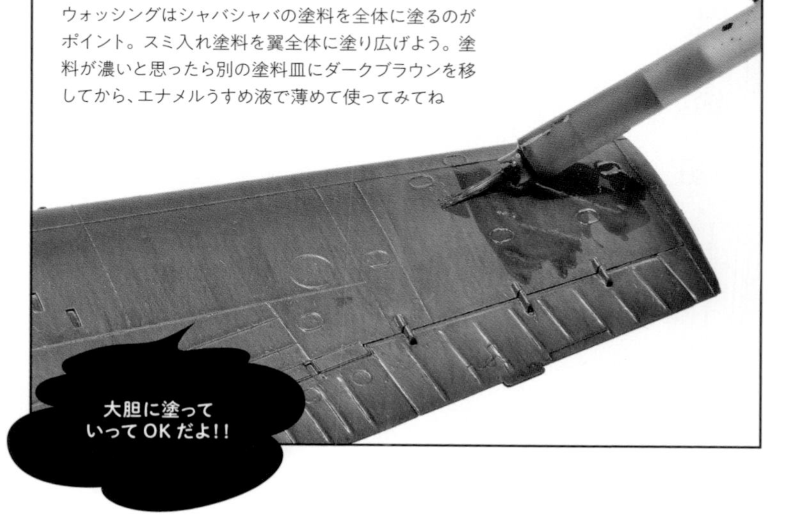

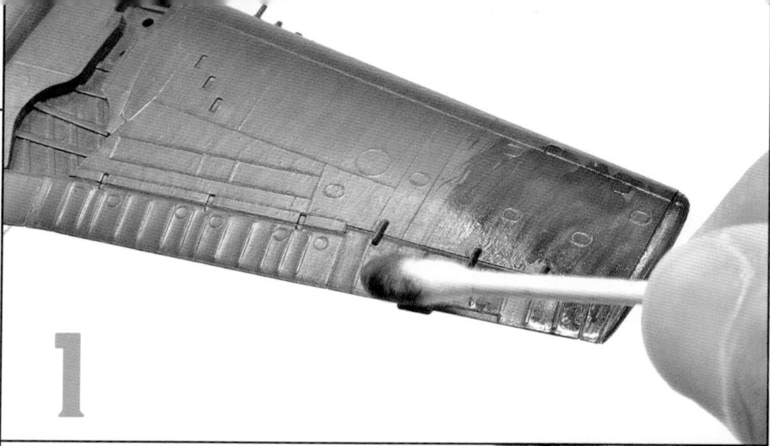

エナメルうすめ液を含ませた綿棒で拭き取ろう

全体に塗り終わったら綿棒にエナメルうすめ液を染み込ませて、余分な塗料を拭き取る。飛行機の進行方向である、前から後ろへ綿棒を動かして塗料を拭き取ると、よりリアルな汚れになるぞ

ウォッシング完了！

綿棒を前から後ろへ動かしたことで、気流によって汚れが後方に向かって流れていく様子を表現できた。ウォッシングをすることで全体のトーンやツヤが落ち着いた色味になっていることに注目

完全乾燥後に、綿棒で乾拭きしてみよう

3 ウォッシングが乾いたら綿棒で乾拭きしてみて。プラモデルに面白い表現を追加することができるよ
4 完全乾燥後に乾拭きすると、表面に残ったダークブラウンを剥がすように拭き取れる。これによって、ダークブラウンで落ち着きすぎたツヤも復活。このテクニックでツヤの調整ができるぞ
5「乾拭き」の良い点はピンポイントに塗料を落とせるので、汚れのメリハリがとてもつけやすくなること。ツヤの質感を変えるだけでも飛行機はより汚れて見えるようになって、リアルな仕上がりになるよ

STEP.09

ウェザリングカラーで文字通り汚してみよう

ウェザリングとは模型を汚す塗装方法のこと。そんな汚しに特化した塗料が、GSIクレオスが発売している「Mr.ウェザリングカラー」。スミ入れも汚しの延長線上の技法なのでウェザリングカラーはスミ入れにも使用可能。今回は砂漠で活躍したスピットファイアMk.Vのプラモデルを使って、砂漠の砂ボコリ汚れを施してみよう。ウェザリングカラー は1色だけじゃなくて、2色使用するとより面白い仕上がりを得ることができる

マットアンバー

明度が低い土色。ブラウン成分が弱いので模型が茶系に沈むこともない。今回のミドルストーンとダークアースのような色の上から塗るのにもぴったり

ホワイトダスト

砂漠でついた新しい砂埃の決定版。明度の高い砂色で、今回のスピットファイアのようなイエロー系の上でも、しっかりと砂埃の色が出るぞ

全体に塗らずに ピンポイントに塗料を 置いていこう!

ウェザリングカラーは完全つや消し塗料で塗った箇所のツヤも一気に落ちるため、全体に塗るとガサガサになりがち。迷彩のキワやスジボリ部分などにピンポイントに塗料を置いて、それを専用のうすめ液で拭ったり伸ばしたりしてみよう。まずはマットアンバーから試してみるけど、この塗料は長い時間が経過した汚れ、洗ってない車の表面みたいな雰囲気が出せるぞ

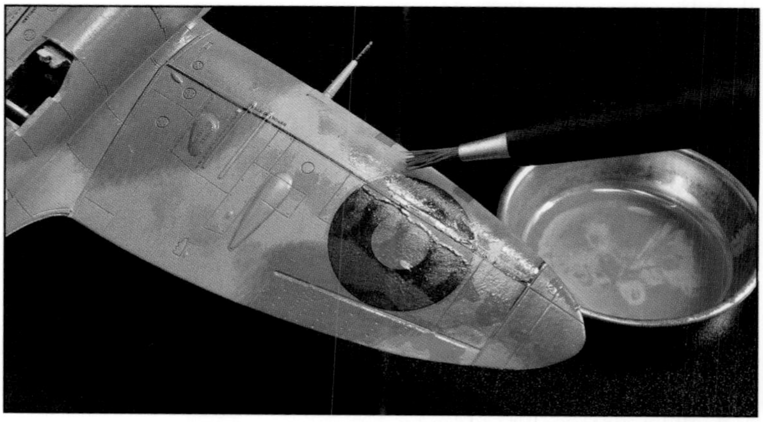

マットアンバーを平筆で伸ばす

ピンポイントで塗ったマットアンバーを平筆で伸ばす。乾いた筆だとよりピンポイントな汚しを再現可能。ウェザリングカラー専用うすめ液を含ませた筆で伸ばすと、より広範囲にウェザリングカラーを広げることができる。飛行機が飛んで、前方から後方へと汚れが移動しているイメージで筆を動かすとかっこよくなるぞ

ツヤも落ち着いた

ウェザリング前のテカテカした状態よりも、マットアンバーで汚れをまとわせたことにより落ち着いた雰囲気になった

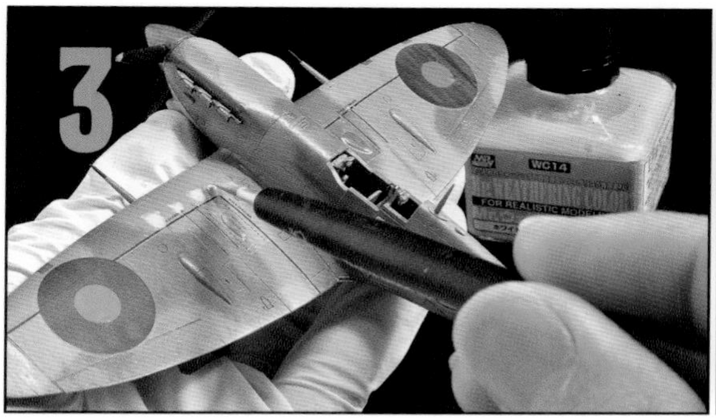

より明るい砂色を塗ろう!

次に最近ついた砂汚れをイメージして明るい砂色を上塗りする。全体に塗ると一気に白くなってしまうので注意。コクピット周りや、ラウンデル（青と赤の丸のマーク）の上などに置いて、砂汚れがアイコンになるようにチョンチョンと塗料を置くとバランスがいい

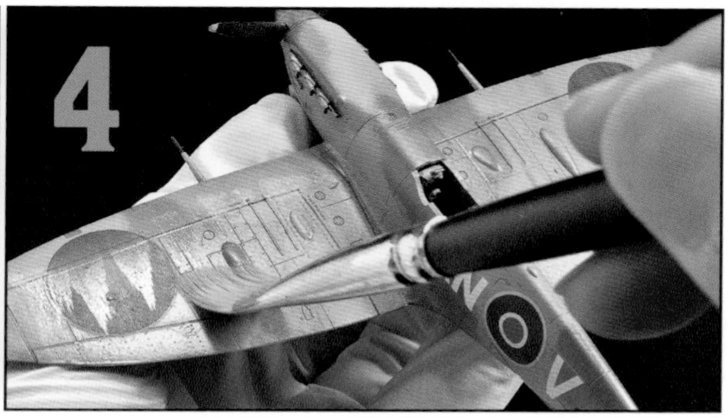

今度はペタペタ伸ばしていく

先ほど塗った砂色を、今度は伸ばしたり叩いたりして馴染ませてみよう。この表現に正解はないので、かっこいいと思う筋ができるように筆を動かしてみるのが良いよ

ウェザリングカラーはこのように、汚したい部分にピンポイントで色を乗せて、それを伸ばしたり叩いたりして表情を付けるマテリアル。ウォッシングのように全体に塗ってしまうとガサガサになりがちなので要注意だ

STEP.10

少しの手数でとってもかっこよくなる「ハゲチョロ塗装」を楽しもう!

次はウェザリングの定番であり、とっても簡単で効果が高い「ハゲチョロ」塗装をやってみよう。これは塗装が剥がれて、下地が露出している様子を表現する技法。そのなかでも「銀」を塗るハゲチョロは模型のアクセントにもなる重要なテクニックのひとつ

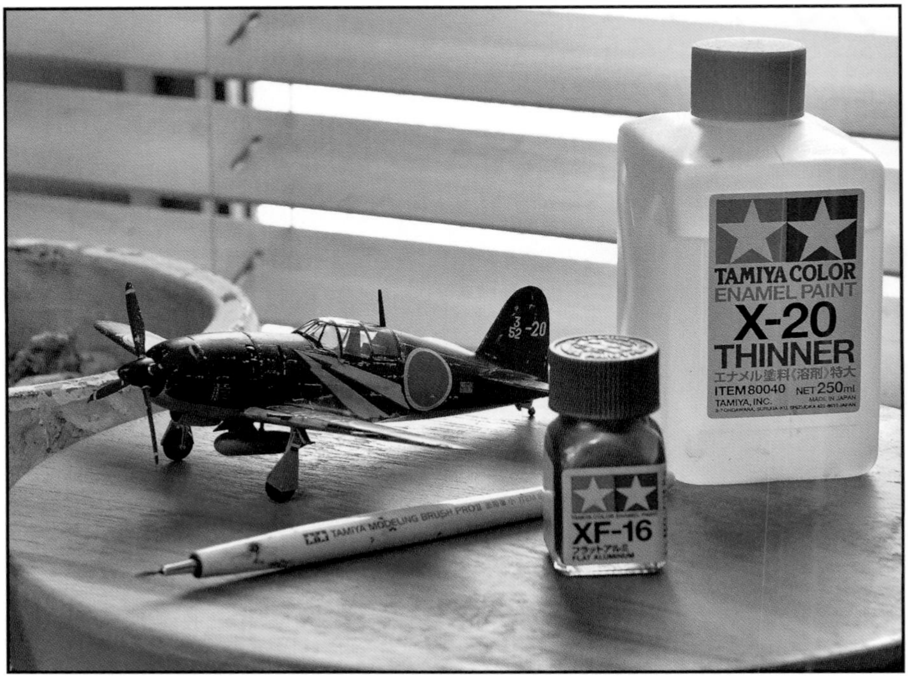

タミヤが誇る
つや消しの
シルバー

使用するのはエナメル塗料のフラットアルミ。ツヤの無い銀という、とってもユニークな塗料。スミ入れ塗料と同じようにエナメルうすめ液で拭き取れるから、失敗してもすぐ修正できる

塗料はしっかり混ぜよう

ツヤが無いと言えども金属色。入念に攪拌してから使おう

塗料皿に移して使う

金属の粒子感はあるけど、輝度がとっても低い。これが露出した金属肌の色にぴったり。まずばこの塗料を家庭用スポンジや、メイク用スポンジに染み込ませてみよう。それをポンポンすると……

スポンジに塗料を含ませたら、ポンポンとスタンプするだけで、こんな自然なハゲチョロ塗装ができる。銀だけでなく、ダークブランやダークグレイなどで傷を表現するのも凄くオススメだ。スポンジに塗料を含ませたらいきなり塗らずに、一旦ティッシュなどに軽く叩きつけて、塗料の量を調整してからパーツにスタンプしよう

極細面相筆でハゲチョロを描く

ハゲチョロ塗装では、実際に塗料を剥がすのではなく剥げてるように見せるために描く。細い筆でフラットアルミをちょんちょんと塗っていくと、こんな風に塗料が剥がれて下地が露出したように見えるんだ

ミスはエナメル溶剤を染み込ませた綿棒で修正

つい塗りすぎたり、違うところを塗ってしまった場合は、スミ入れを拭き取るのと同じで、エナメルうすめ液を染み込ませた綿棒で拭き取ってしまえばOKだ

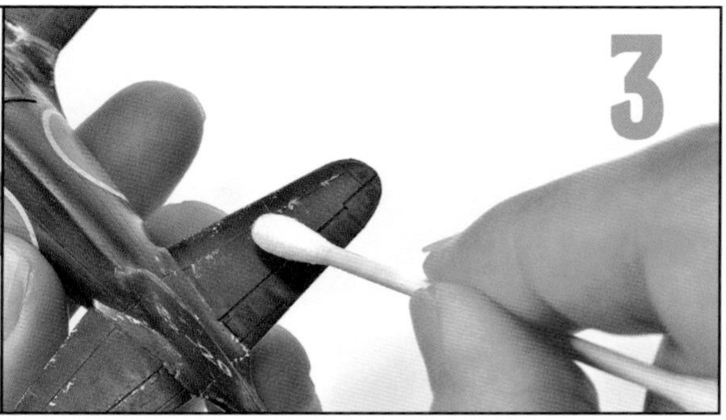

ナイスなアクセント！　ハゲチョロで歴戦の戦闘機になる

スポンジと筆だけで、こんな風にハゲチョロを表現できた。銀は特にメリハリが出る色なので、ピンポイントで数か所に留める位がかっこいい。銀以外のダークグレイやブラウンなどでもぜひやってみよう

4

STEP.11

タミヤウェザリングマスターで排気管からのスス汚れを施してみよう!

スケールモデルのウェザリングの花形のひとつでもあるスス汚れ。なんと言っても排気管など目立つ場所の汚れなので、「そんなに汚れるほど、こいつはずっと活躍していたんだな~」なんてイメージを見る人に与えてくれるテクニックだ。スス汚れをお手軽にカッコ良く施したいなら、ぜひタミヤ ウェザリングマスター〈Bセット〉のなかの「スス」を使ってみよう

タミヤ ウェザリングマスター B セット

Bセットは雪や煤汚れ、サビの色が収録されている

セミウェットタイプの塗料!

しっとりとした固形塗料。一緒についてくるスポンジとハケが合体したブラシで、パーツに擦りつけるようにして塗料を塗っていく

排気管周辺のスス汚れを施してみるよ

スピットファイアの排気管の排煙によって生まれたスス汚れを施してみよう

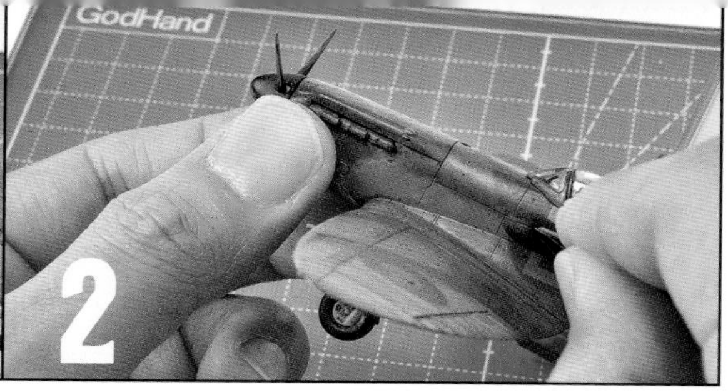

付属のスポンジで擦りつけるだけ！スス汚れ爆誕

ウェザリングマスターをスポンジで擦りつけるだけでこの効果！　これは癖になるね

スミ入れ塗料 ダークブラウンがあればさらにかっこよくなる

先ほどのスス汚れを、さらに模型に馴染ませて自然にかっこよくする方法を紹介。そのカギを握るのがタミヤ スミ入れ塗料のダークブラウン

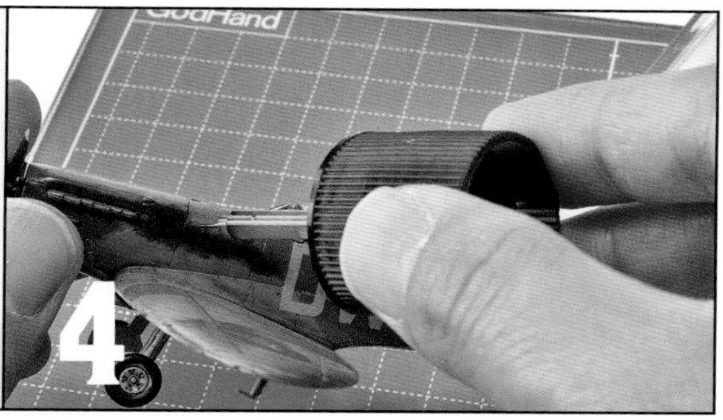

周囲をぼかす様にダークブラウンを塗るよ

ウェザリングマスターを擦り付けた周辺を覆うように、ダークブラウンを塗っていく。この時、できるだけススの塗料にはダークブラウンが乗らないようにしよう

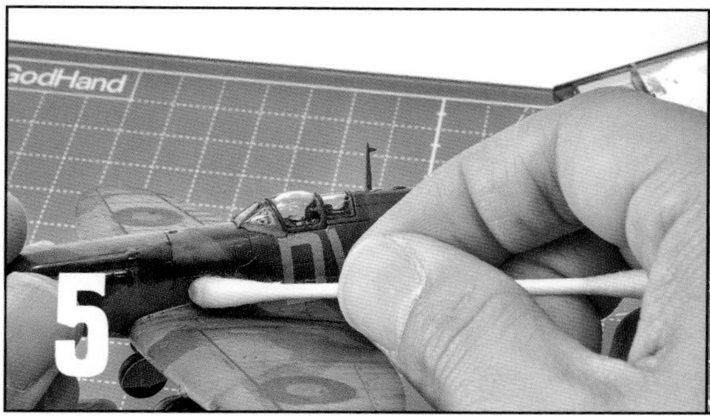

綿棒で調整するよ

少量のエナメルうすめ液を染み込ませた筆で、ススとダークブラウンの境界線が馴染むように優しくポンポン叩いていこう。このようにしてお互いの塗料を融合させていく

ススとダークブラウンの合体技でカッコよくなりました

ススは主張が強く、スポンジやブラシで擦っただけで本当にビシッと映える。これが真っ黒＆クッキリだと悪目立ちしてしまうけど、輪郭を馴染ませると汚れが模型と一体となり、かっこいい表情を与えてくれる

STEP.12

どんな塗装もお手の物!
エアブラシでnextステージ行ってみます?

きれいなグラデーション塗装をしたり、均一にキレイに塗装したりと、様々な塗装が楽しめるのがエアブラシ。
価格も高価でちょっと上級者向けなんだけど、さらに飛行機模型の塗装を楽しみたいという人はぜひ導入してみよう

コンプレッサー

塗装ブース

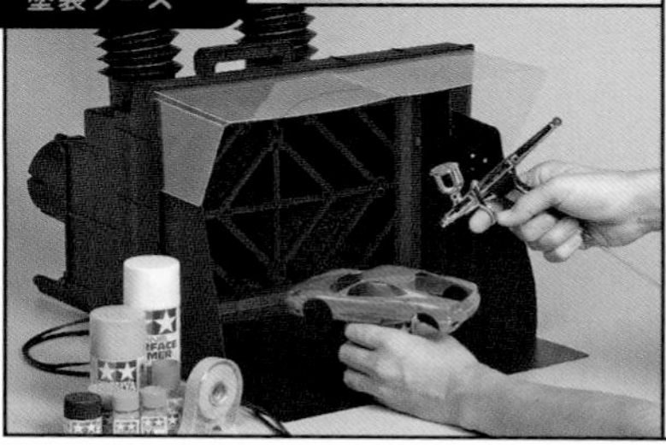

ハンドピース

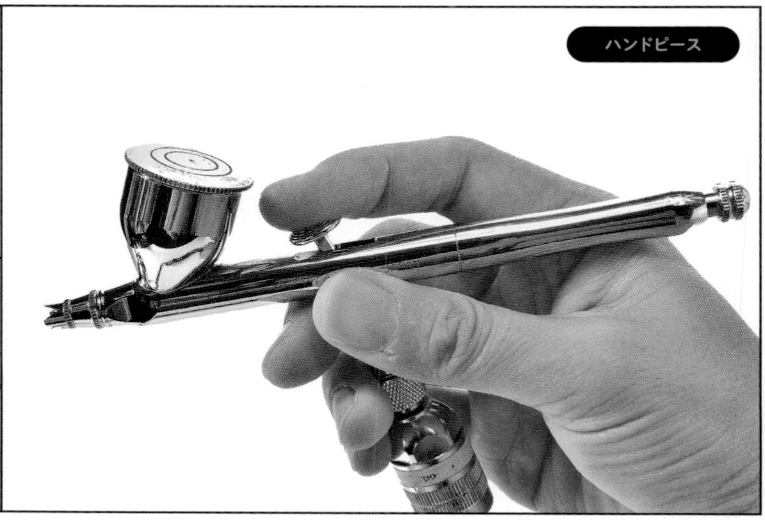

● ハンドピース　コンプレッサーからの空気で塗料を吹き付けることができる道具
● コンプレッサー　空気を圧縮させてハンドピース内に送り出すのがコンプレッサー。これによって、ハンドピースから塗料が吹けるようになる。写真のMr.リニアコンプレッサーL7（税込4万1800円　GSIクレオス　問☎03-5211-1844）は多くの模型量販店で扱っている
● 塗装ブース　室内でも快適に塗装ができる塗装ブース。こちらは店舗やネットでも購入しやすいスプレーワーク ペインティングブースII（ツインファン）（税込2万7280円　タミヤ　問タミヤ・カスタマーサービス）。ミストや匂いなどの問題を軽減してくれるので、ぜひ一緒に揃えたい道具だ

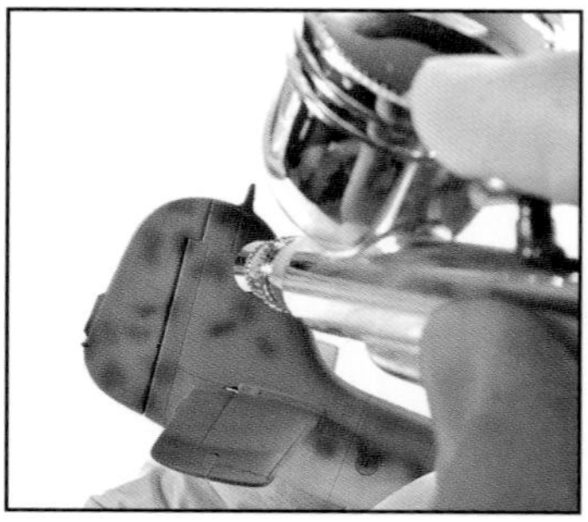

塗料を薄く吹き付けられるのでとってもキレイ

エアブラシは塗料を薄く、均一に重ねることができるので色ムラがなく、平滑でキレイな塗面にすることが可能

ピンポイントな塗装をカッコよくできる!!

非常に細く塗料を吹き付ける事が可能なエアブラシは、筆塗りではかなり難しい迷彩塗装のボカシなどもお手の物なのだ

どうやれば塗料が吹けるの?

前ページで「コンプレッサーから供給される空気をハンドピースから吐き出すことで塗料が吹きつけられる」と解説したけど、ハンドピースはどのような操作をすれば塗料が出てくるの?

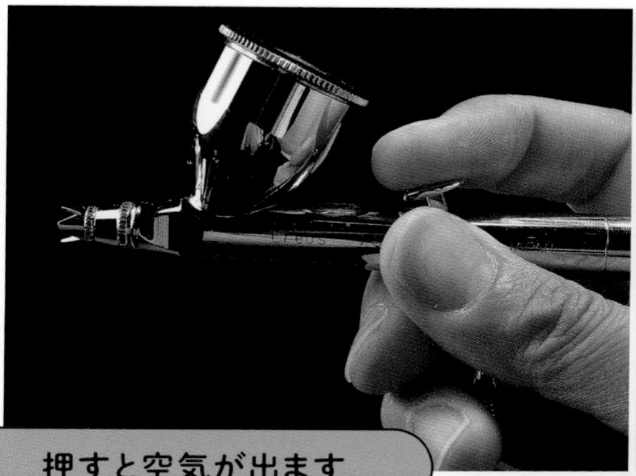

引くと塗料が出るよ

押すと空気が出ます

ハンドピースの操作は中央のボタンで行なわれる。これを押すと空気だけが出るんだ。押して空気が出たらボタンを引いてみると塗料が出る仕組み。押すと引くのふたつの動作で塗料を吹き付けることができる。引く加減で塗料の量をコントロールして細く拭いたり、大量の塗料を一気に出して広い面を塗ったりする

このカップのなかに塗料を入れるよ

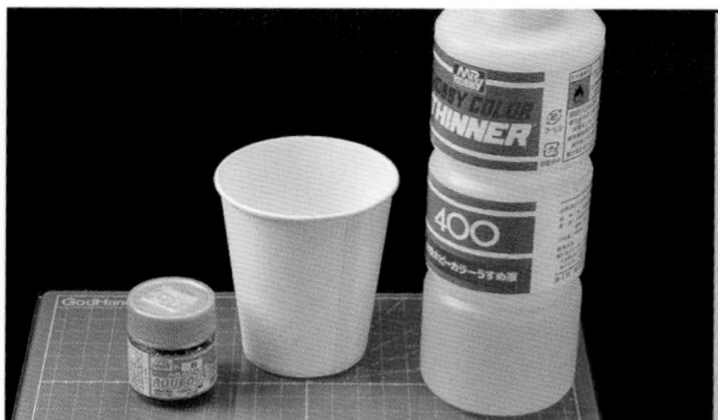

塗料は瓶のままでは濃くて使えない!

エアブラシ塗装は瓶の塗料を専用のうすめ液で薄めて行なう。瓶の状態のまま使用すると濃度が濃くてハンドピースから吹き付けることができない。一緒にうすめ液も揃えよう

次のページから、実際にエアブラシで塗装してみよう!

初めての エアブラシ塗装にチャレンジ！

エアブラシ塗装において塗料の準備は大切！筆塗りでも使用したGSIクレオスの水性ホビーカラー「シルバー」を使用してみよう

シルバーをよく混ぜたら紙コップに移す。直接ハンドピースのカップに注がないように気を付けよう

水性ホビーカラーうすめ液を加える。塗料1: うすめ液1の割合でうすめる

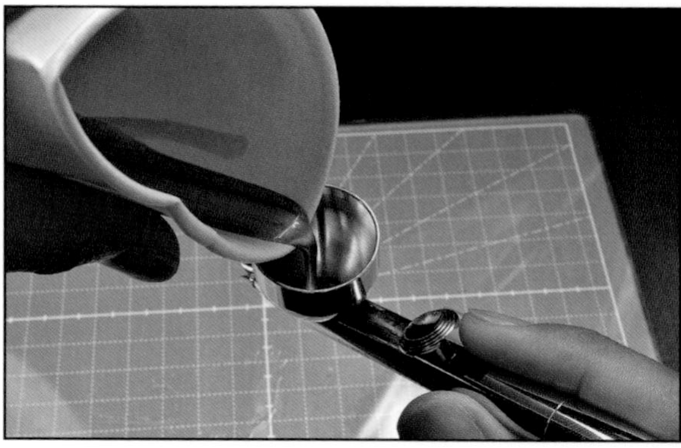

シルバーとうすめ液をしっかりと混ぜたら、エアブラシのカップに注ぐ

コンプレッサーの電源を入れて、模型に吹いてみよう。一気にボタンを引くのはやめて、まずは優しくゆっくり操作しよう

キレイにキラキラの シルバーに なりました！

エアブラシ塗装では塗料を薄めすぎると色が定着しない。濃すぎても今度は吹き付けることができなくなってしまう。塗料とうすめ液を1対1の割合で混ぜておけば、大抵の場合うまくいく。慣れるまでは紙コップの側面に吹き付けて、エアブラシ塗装の勘どころを掴んでみるのもオススメだ

混色ができるから
グラデーション塗装ができる!

エアブラシ塗装は塗料を混色して吹くことができる。零戦の翼の緑に白を混ぜることで、翼にハイライトを描くことができたり、お手軽にグラデーション塗装が楽しめるぞ

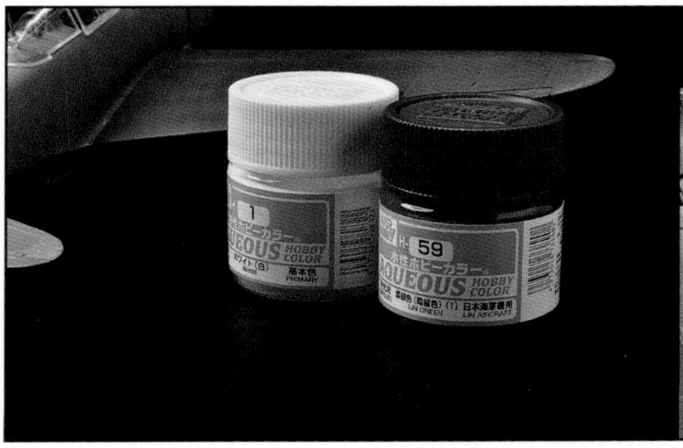

細吹きで迷彩塗装も楽しめる!

飛行機には様々な迷彩塗装が施される。これを塗るのにエアブラシは最も適したツールのひとつだ

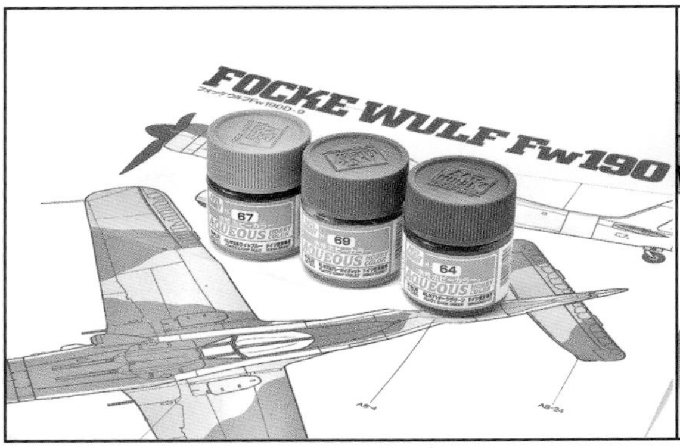

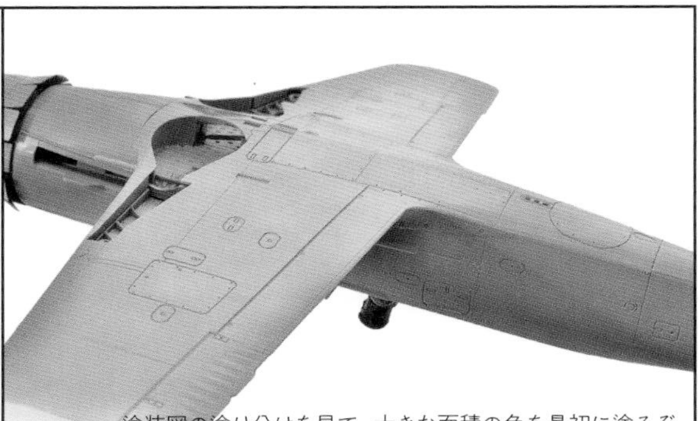

塗装図の塗り分けを見て、大きな面積の色を最初に塗るぞ

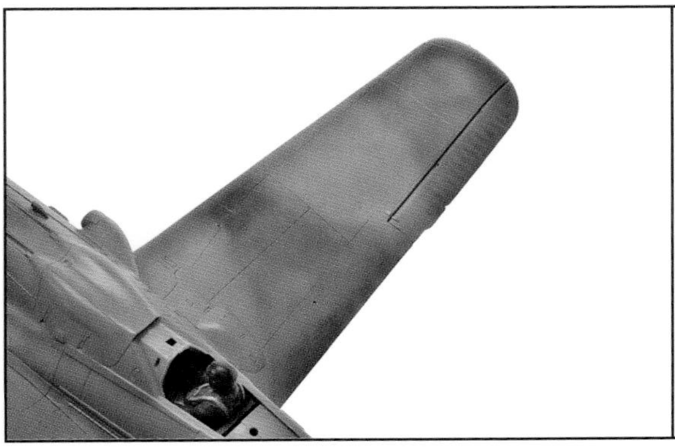

次にエアブラシのボタンを引きすぎないように、塗料を細吹きにして塗装図を見ながら模様を描いていく。はみ出しても、隣の色で塗りつぶせば問題無し

あまり神経質にならずに、イラストに似せるように塗ってみてね。パターンを間違えたり、塗料の細かな粒子が飛び散ったら、それぞれの指定色で塗り潰せば修正できるよ

STEP.13

あなただけのヒコーキモケイが完成した喜びをスマートフォンに収めよう

飛行機模型完成後のお楽しみ！　それが撮影です。スマートフォンで気軽に撮影して、SNSにアップすれば世界中の人に飛行機模型を見てもらうことができる。スマートフォンのカメラはとても性能が良いから、「明るい場所」「きれいな場所」で撮影するだけで見違える写真に！

やった～～!!
完成したぞ!!!

最高の瞬間だね。ヒコーキ模型の完成だ！　早速撮影してみよう

ぐちゃぐゃの机の上……それじゃ良い写真は撮れないね

さっきまで飛行機模型を作っていた机のままで撮影すると、だいたいこうなる……。完成してとってもうれしいのは分かるけど、塗料や筆なんかが机の上に散乱していると模型が目に入ってこない。これだとせっかく楽しんで作った飛行機模型もなんかかわいそう……

フローリングやテーブルなどの平らな場所に置いてみよう

なるべく平らで、広めな場所だとベスト（もちろんキレイな場所で）。フローリングの床なども撮影しやすいポイントだ

キレイに撮影できた！

キレイな場所でスマートフォンで撮影するだけで、しっかり飛行機模型を見せることができる。これならみんなに見てもらえるね

STEP.14

ちょっと一工夫
クリアカラーの下敷きを敷いてみよう

100円ショップに売っているクリアカラーの下敷きを飛行機模型の下に敷いてみるだけで、なんだか高級感が出てくるぞ

100円ショップの
クリアカラー下敷きです

まるで鏡！　下に飛行機が反射してカッコイイ！

まるでウユニ塩湖。飛行機模型が敷いてある下敷きに反射して鏡像を作り、より印象的な写真になるぞ

屋外に模型を持っていこう!

自然光は撮影の最高のパートナー。とっても明るいから模型もバシッと撮影できる。朝焼けや夕焼けだとより印象的な写真になるぞ

空に雲が多い日は雲を反射させよう

下敷きは空も反射するので、雲が多い日はこのように雲を下敷きに反射させるとちょっと幻想的な写真になるのでオススメだ

スマートフォンでもきれいに撮影できるぞ

あとはスマートフォンのカメラを起動して撮影するだけ！　取った写真はSNSなどに載せたりして多くの人に見てもらうのも楽しいぞ

世界にひとつだけの
あなたのヒコーキ模型を
楽しく撮影して
あげてね！

カンタン解説で誰でもできる！

初めて作るヒコーキ模型

書名	初めて作るヒコーキ模型
発行日	2022 年 8 月 8 日　初版 第一刷
編集	nippper（丹 文聡） スケールアヴィエーション編集部
イラスト	クサダ
撮影	丹 文聡 インタニヤ
デザイン	Takanashi design
協力	イエローサブマリン秋葉原スケールショップ
発行人	小川光二
発行所	株式会社 大日本絵画 〒 101-0054　東京都千代田区 神田錦町 1 丁目 7 番地 ☎ 03-3294-7861 URL　http://www.kaiga.co.jp
企画／編集	株式会社 アートボックス 〒 101-0054　東京都千代田区 神田錦町 1 丁目 7 番地 錦町一丁目ビル ☎ 03-6820-7000 URL　http://www.modelkasten.com/
印刷／製本	三松堂株式会社

◎内容に関するお問い合わせ先：03（6820）7000　㈱アートボックス
◎販売に関するお問い合わせ先：03（3294）7861　㈱大日本絵画

Publisher: Dainippon Kaiga Co., Ltd.
Kanda Nishiki-cho 1-7, Chiyoda-ku, Tokyo 101-0054 Japan
Phone 81-3-3294-7861
Dainippon Kaiga URL. http://www.kaiga.co.jp

Editor: ARTBOX Co.,Ltd.
Nishikicho 1-chome bldg., 4th Floor, Kanda Nishiki-cho 1-7
, Chiyoda-ku, Tokyo 101-0054 Japan
Phone 81-3-6820-7000
ARTBOX URL: http://www.modelkasten.com/

定価はカバーに表示してあります。
ISBN978-4-499-23354-5

クサダ

模型専門誌『月刊モデルグラフィックス』（大日本絵画／刊）で「プラモってめんどくさい！」を連載中。眼鏡と特撮、そして模型が好き。『先輩が忍者だった件（全2巻）』（白泉社／刊）も発売中

本書に掲載している
製品（2022年現在）についての問い合わせ先

タミヤ・カスタマーサービス
☎054-283-0003

ハセガワ
http://www.hasegawa-model.co.jp/

GSIクレオス ホビー部
https://www.mr-hobby.com/ja/index.html